D1276708

FOI CHRÉTIENNE ET CONSCIENCE SOCIALE

L'Évangile du lundi

Jean-Guy Morissette

Éditions Paulines & Apostolat des Éditions

Maquette de la couverture : Antoine Pépin

Imprimatur : No 200-36

ISBN 2-89039-002-0

Dépôt légal — 1er trimestre 1979
Bibliothèque nationale du Québec
Bibliothèque nationale du Canada.

© 1979 Éditions Paulines
      3965 est, boul. Henri-Bourassa
      Montréal, Qué., H1H 1L1

      Apostolat des Éditions
      48, rue du Four
      75006 Paris

A mon ami
Raymond Roy

Présentation

Voici une sélection de textes publiés parmi une série en chronique hebdomadaire dans les journaux locaux de la région de Victoriaville, de 1973 à 1976.

Ce sont des écrits de «lutte» pour un changement social dans une petite ville de province. Ces textes n'ont pas été écrits à tête reposée, mais dans l'ardeur du combat, la fatigue, l'exaspération, l'indignation, le creuset d'une action sociale soutenue.

Ces textes de réflexion aux citoyens des Bois-Francs peuvent se raccorder sous le thème «FOI CHRÉTIENNE ET CONSCIENCE SOCIALE».

Par FOI CHRÉTIENNE, je veux affirmer que mon instrument d'analyse de notre société actuelle est ma foi en Jésus-Christ et mon écoute de l'Évangile.

Par CONSCIENCE SOCIALE, je veux affirmer que ma façon de vivre la foi en Jésus-Christ et ma compréhension de l'Évangile sont tributaires de ma présence dans la société, de ma position et de ma participation vis-à-vis les personnes et les mécanismes qui fabriquent la société actuelle et celle de demain.

L'invitation de Jésus à «bâtir le Royaume» est l'invitation à m'engager ICI et MAINTENANT dans les luttes pour le respect de la vie et de la dignité de l'homme, surtout le plus petit et le plus démuni. Avoir faim et soif de justice avec l'assisté social, le chômeur, le petit salarié, le travailleur, les femmes seules — chefs de famille...

Une telle invitation et un tel engagement, sans la FOI CHRÉTIENNE, se résumeraient à prolonger la loi de la jungle.

Une telle invitation et un tel engagement, sans CONSCIENCE SOCIALE, ce serait, selon le mot de Jésus-Christ, comme un aveugle qui veut guider un autre aveugle.

La Foi, l'Espérance, la Charité, sont essentielles à la conscience chrétienne. Mais la LUCIDITÉ est indispensable. Il faut apprendre à scruter et à analyser notre monde et comprendre que l'Évangile d'amour y est méprisé et foulé aux pieds à travers des structures sociales et politiques immorales et injustes desquelles des hommes tirent leur profit aux dépens d'autres hommes.

C'est le lundi matin qu'on reconnaît le Chrétien...

Jean-Guy Morissette

La pauvreté

Riches et pauvres

Une secrétaire dans un bureau du Gouvernement du Québec disait : « les pauvres le sont parce qu'ils le veulent bien, les enfants ne veulent pas s'instruire, ils ne font pas d'efforts, ils gaspillent leur argent ; le millionnaire a droit à son argent, son million, et le riche a le droit d'être riche, sinon l'esprit d'initiative et le sens des responsabilités ne seraient pas récompensés. »

On lui répond : « Donc, il faut des riches et il faut des pauvres ? »

Elle répond que oui, et que le pauvre pouvait très bien s'organiser pour être heureux dans sa pauvreté.

Ignorance cruelle

Il ne faut pas avoir connu réellement une situation de pauvreté pour penser comme cette demoiselle. Il faut n'avoir jamais pleuré, seule comme cette mère de famille désespérément seule qui ne savait plus comment trouver de l'argent pour nourrir ses cinq enfants en plein mois de février à Victoriaville.

Il faut n'avoir jamais attendu dans la salle d'attente du Bien-Être social. Il faut n'avoir jamais vécu ce que c'est qu'être sans ressources, impuissants à résoudre des situations les plus sombres. Il faut n'être jamais né dans une famille assistée sociale, s'être fait pointée du doigt à l'école par ses camarades, s'être fait dire : « c'est une assistée sociale », sur le même ton qu'on dirait : « c'est un lépreux ».

C'est s'être contenté de régler le problème de la pauvreté confortablement assis dans son « lasy-boy », devant sa télé-couleur, un verre de cognac à la main, en discourant sur la démocratie et la libre entreprise, en se vantant de son compte de banque comme si on était devenu riche sans n'avoir jamais écrasé personne.

Qui sont les pauvres ?

Au plan affectif. C'est souvent celui qui a été privé d'affection pendant son enfance. C'est celui qui, au travail, est rarement apprécié pour ce qu'il est, mais plutôt pour le rendement qu'il donne, pour ce qu'il rapporte en terme d'argent. C'est celui qui éprouve constamment le sentiment d'être moins important que les autres, moins intelligent. C'est celui qui a vendu sa liberté, sa fierté et son intimité pour un chèque du Bien-Être savamment calculé pour l'empêcher de crever tout d'un coup.

Au plan matériel. C'est celui qui n'a même pas le nécessaire dans sa maison et qui doit constamment faire face à l'imprévu les mains nues, ou se jeter dans la gueule des compagnies de finances. C'est celui qui doit attendre la visite de l'agent d'Aide sociale pour faire réparer son poêle. C'est celui qui s'efforce de subsister au jour le jour, et qui sera toujours en retard de quelques jours sur le reste du monde.

Au plan social. C'est celui qu'on oblige à quêter constamment pour se procurer le nécessaire. C'est celui à qui on ne reconnaît aucun droit social, sinon celui de dire merci au riche qui daigne bien lui donner quelque chose. C'est celui à qui le système a enseigné à avoir honte de sa situation, à se comporter comme un humilié parce qu'il n'est pas rentable. C'est celui dont on empêche les enfants de jouer avec certains autres, parce qu'ils ne sont pas de leur condition.

Au plan intellectuel. C'est celui qui dès son enfance n'a pas pu réaliser ce qu'il voulait à cause de son contexte de vie. Celui qui, faute d'instruction, est obligé d'accepter un travail qui l'écrase. C'est celui qui a été obligé d'abandonner ses études pour subvenir au besoin de la famille. C'est celui qui n'était pas assez intelligent pour savoir profiter de certaines «gamiques» industrielles ou politiques, pas assez intelligent pour frauder sur l'impôt, pas assez intelligent pour aller chercher de l'argent au gouvernement sous une belle couverture.

À bien y penser

À bien y penser, s'il y a encore des pauvres dans notre société d'abondance et de découvertes scientifiques fantastiques, c'est parce qu'il y a des gens qui ne veulent pas que ça change, et ces gens-là ne sont pas les pauvres. S'il y a des pauvres, c'est qu'il y a des riches. Tant qu'on s'en tiendra à nos préjugés sur les pauvres, la situation ne changera pas. La charité n'a pas été inventée par les pauvres, c'est un moyen de valoriser les riches. Quant à la justice, elle reste à inventer.

Pauvres en sursis

Il y a plusieurs formes de pauvreté. Il y a des pauvretés qui sont évidentes, touchantes ; il y a des pauvretés qui sont choquantes ; il y a aussi des pauvretés camouflées.

Récemment, j'étais à la Polyvalente à l'occasion d'une rencontre avec des étudiants sur le thème de la pauvreté à Victoriaville. Dans l'ensemble des témoignages des deux

classes d'étudiants rencontrés, il ressortait assez clairement l'opinion selon laquelle il n'y a plus de pauvres ou
presque. «Où c'est que vous en voyez des pauvres,
monsieur?»

La pauvreté au Bengla-Desh ou en Éthiopie n'a pas le
même visage que celle du Québec. Chez nous, la pauvreté
est maquillée, camouflée.

D'abord les pauvres n'ont pas bonne presse. Il suffit
d'entendre régulièrement les nombreux préjugés tenaces
que l'opinion publique véhicule sur les pauvres pour comprendre que personne n'a intérêt à se déclarer pauvre, ou
à s'afficher comme tel.

«Les vrais pauvres sont ceux qu'on ne connaît pas,
ceux qui ne demandent pas d'aide; c'est eux autres que
vous devriez aider». Voilà une réflexion qu'on entend
souvent et qui est largement répandue dans la population.

L'expérience de relèvement social nous apprend qu'il
n'y a pas de faux pauvres et de vrais pauvres. Il n'y a que
des pauvres tout court.

Mais il y a des pauvretés qui ne peuvent plus supporter
de délais dans l'obtention d'une aide. Il n'y a pas d'autres
alternatives que de demander de l'aide. Au début, c'est
gênant, humiliant. À force d'être pauvre, on finit par
l'accepter, on finit par s'habituer à n'avoir d'autre recours
que de demander de l'aide.

Mais il y a une pauvreté qui porte encore des délais.
C'est la pauvreté de ceux qui ne se reconnaissent pas
pauvres, et qui ne demandent ni aide, ni conseil parce
qu'ils ont encore des délais avant d'être au bout et croient
qu'ils peuvent s'en sortir, et s'en sortir tout seuls.

Les familles ouvrières à faibles revenus composent dans une large proportion la pauvreté en sursis. Ce sont des familles qui, au plan financier, vivent continuellement sur la corde raide. Leurs revenus sont faibles, leurs dépenses sont élevées, leurs dettes les étranglent chaque jour de plus en plus.

Ces familles peuvent réussir tant bien que mal à se maintenir à flot si rien d'imprévu ne survient. Mais qu'il y ait maladie, grève, démotion, mise à pied temporaire, retard dans l'assurance-chômage, dans l'assurance-maladie, dans l'accident de travail, alors là ça casse.

Ce qu'on peut déplorer de cette pauvreté qui s'ignore, c'est qu'elle se manifeste enfin lorsque la situation est déjà grandement détériorée. Les solutions sont alors plus difficiles à trouver.

Faut pas attendre d'être «au boutte» pour chercher de l'aide.

La pauvreté fait peur ou fait pitié ?

Il y a deux sortes de pauvreté; il y a une pauvreté qui fait pitié, il y a une pauvreté qui fait peur.

La «PAUVRETÉ-QUI-FAIT-PITIÉ» est évidemment la plus acceptable pour la majorité des gens des classes moyennes et riches. C'est la pauvreté propre, propre, propre. C'est la pauvreté qui touche le cœur la veille de Noël et incite à la générosité. C'est la pauvreté qui provoque des bons sentiments envers les autres. C'est la pauvreté à laquelle on répond par la charité.

Les gens qui veulent aider à atténuer la PAUVRETÉ-QUI-FAIT-PITIÉ exigent généralement qu'on leur donne le nom de «vrais pauvres». On veut des beaux cas de pauvres « badluckés », malchanceux, frappés par l'invalidité ou la maladie, les familles nombreuses, une petite mère célibataire qui a de la difficulté à trouver de la nourriture pour son petit.

Cette pauvreté-là, on y répond par des dons en argent ou en matériel, on y répond de façon occasionnelle par différentes formes de dépannage : on achète des chaussures, on paie des paniers de provisions, de l'huile à chauffage, un compte de l'Hydro, une paire de lunettes, etc...

C'est à cette PAUVRETÉ-QUI-FAIT-PITIÉ que les Clubs sociaux ou de service et autres organisations humanitaires veulent répondre. Dans cette forme d'aide sociale, les pauvres ne sont pas impliqués dans la solution de leurs problèmes. On leur demande seulement de recevoir et de remercier, et de ne pas demander trop souvent.

La pauvreté qui fait peur

Il y a d'autre part la « PAUVRETÉ-QUI-FAIT-PEUR ». Cette pauvreté-là est difficilement acceptable pour un bon nombre de gens des classes moyenne et riche. Cette pauvreté fait peur parce qu'elle est celle où les pauvres prennent conscience de leurs droits et réalisent les injustices sociales dont ils sont victimes.

Les pauvres s'organisent des comités, des services, apprennent à défendre leurs droits au même titre que n'importe quel citoyen de classe aisée ou riche, syndiqué ou professionnel.

Cette pauvreté-là demande l'engagement et l'action sociale. Elle n'accepte aucun des préjugés haineux et bêtes qui circulent dans l'opinion publique sur l'assisté social paresseux et le chômeur-qui-ne-veut-pas-travailler.

La PAUVRETÉ-QUI-FAIT-PEUR, c'est celle où les forces de résistance à l'oppression économique s'organisent dans la solidarité des plus petits et trouvent à s'exprimer dans des organisations de développement social : groupes populaires, comités de citoyens, initiatives coopératives. C'est à ce niveau que s'organisent des pressions pour promouvoir les politiques sociales et économiques pour une meilleure justice. LA-PAUVRETÉ-QUI-FAIT-PEUR prend le visage de la justice.

Quand on parle de relèvement social, il y a deux pauvretés : celle qui fait pitié, et celle qui commence à faire peur. Mais au fond c'est toujours la même pauvreté, le visage qu'on lui donne dépend de la façon dont on veut la regarder et dépend aussi de la façon dont on se sent impliqué.

Ceux qui n'ont pas le droit

Il y a CEUX QUI EN ONT EN MASSE.

Ils ne se plaignent pas. Ils sont satisfaits de leur sort. Remarquez qu'ils pourraient se plaindre, ils en auraient le droit, ils ont tous les droits. C'est qu'ils ont l'impression que ce sont eux qui font vivre le reste de la société.

Ils ont des industries ou des commerces, ou bien ils sont professionnels, cadres importants et ils paient de gros impôts. Cela leur donne le droit, tous les droits.

Mais ils ont peur, peur de perdre ce qu'ils ont acquis, peur de perdre leurs privilèges durement gagnés, peur de perdre la paix sociale. Ils ont peur que d'autres leur arrachent leur place parce que, pour le bien de la société, ils s'estiment les seuls compétents pour prendre les véritables décisions. Ce qui ne vient pas d'eux leur paraît dangereux. Ils sont peu nombreux, une minorité, mais ils sont forts.

Il y a ceux qui en ont en masse ! ils sont une minorité, ils sont forts, mais ils ont peur.

Il y a CEUX QUI EN ONT PAS TROP.

Il y a ceux qui en ont pas trop. Ils ne sont pas satisfaits de leur sort. Et ils s'en plaignent de plus en plus. Même si quelques-uns ne le leur reconnaissent pas le droit de perturber l'ordre public pour se plaindre, ils le prennent quand même. Leur force, c'est leur nombre.

Ils sont les travailleurs organisés, les payeurs de taxes, les gros consommateurs. C'est vrai qu'ils en ont pas trop pour vivre. L'inflation leur a grugé 60 pour-cent des augmentations de salaire qu'ils ont difficilement gagnées à coup de grève, de front commun, etc...

Ils n'ont pas peur parce qu'ils sont ensemble. En colère, ils sont capables de tout : vider un hôpital, fermer une école, bloquer des routes, arrêter la Poste, répandre du fumier sur la grand-rue, ne pas éteindre les incendies, faire régner la terreur sur les chantiers de construction, quitter leurs usines.

Il y a ceux qui en ont pas trop, mais ils ont pas peur, pas assez... Ils sont «pognés», mais pas assez...

Il y a CEUX QUI EN ONT PAS ASSEZ.

Il y a ceux qui en ont pas assez. Ils sont découragés de leur sort, tellement que des fois ils voudraient crever. Mais ils ne se plaignent pas, ils n'en ont pas le droit parce qu'ils sont pauvres, assistés sociaux, handicapés, chômeurs.

Les autres leur disent qu'ils se font vivre par la société, que ce sont des profiteurs, des paresseux. Quand tu es assisté social, femme seule avec trois p'tits et que les fonds publics sont assez bons pour te donner $232 par mois pour vivre, c'est-à-dire qu'une fois les dépenses de loyer payées il te reste $30 par semaine pour élever tes enfants, les nourrir, les habiller, les faire soigner, t'as pas encore le droit de te plaindre. On voudrait que tu remercies gentiment.

Ils n'ont pas le droit de manifester, d'élever la voix, d'avoir des opinions, de faire des choix. Ils n'ont même pas le droit de comprendre pourquoi ils ne peuvent pas vivre. Ils n'ont pas le droit de se regrouper en services communautaires, de s'entraider pour atténuer leur misère, parce que les «politisés» et les «marxistes» leur reprochent alors de faire le jeu du «système» en place.

Ils n'ont pas le droit d'oublier leur vie grisâtre en regardant celle des autres en couleur à la télévision. Ils n'ont pas le droit de vouloir s'habiller comme ceux qui en ont pas trop, de boire du «fort» comme ceux qui en ont en masse.

Ils n'ont plus peur de personne, sauf d'eux-mêmes, parce qu'ils ne se reconnaissent plus : ils ont le droit de passer inaperçus, de crever en silence.

Il y a ceux qui en n'ont pas assez et ils n'ont pas le droit...

Être pauvre

Au Canada, un enfant sur quatre est pauvre. C'est une des conclusions que nous révèle une étude publiée récemment par le Conseil national du Bien-Être social et que les quotidiens montréalais ont diffusée dans leurs pages.

« Quand on naît pauvre, les jeux sont faits » et malgré les services gratuits de santé, de bien-être, d'éducation, il semble évident, selon les recherches du Conseil national du Bien-Être social, qu'un individu né pauvre a nettement moins de chances de profiter des possibilités offertes par notre système social.

Il est utopique de « nous bercer de la croyance que tous les enfants, riches ou pauvres, peuvent atteindre le succès. » On dirait qu'une sorte de malédiction sociale pèse sur l'enfant né dans une famille pauvre et, malgré des exceptions limitées, mais souvent mises en évidence dans des publications comme le Sélection, celui-ci viendra tôt ou tard grossir les rangs de la population défavorisée.

Les familles pauvres développent généralement chez leurs enfants des attitudes défaitistes par rapport à la vie et des espérances sociales très limitées. Dès avant son entrée dans le milieu scolaire, l'enfant pauvre apprend à la maison comment vivre en pauvre, comment se passer des choses nécessaires sans savoir pourquoi.

Très tôt, l'enfant voit des messieurs ou dames des Affaires sociales qui viennent à la maison questionner sa mère, calculer des budgets, vérifier des faits de la vie privée. Il voit des personnages étrangers qui ne sont ni des oncles, ni des voisins, ni l'épicier du coin, mais qui viennent porter des paniers de provisions chez lui, des vêtements ; il ne comprend pas pourquoi cette semaine, ce n'est pas sa maman qui fait son épicerie comme d'habitude.

Comprend-il pourquoi sa mère est si impatiente, nerveuse, tendue, la semaine où la poste n'apporte pas la lettre « jaune avec une fenêtre » qui soulage sa mère.

L'école

L'enfant comprend-il pourquoi sa mère n'est pas plus pressée que cela de lui acheter des lunettes? Parce que l'Aide sociale n'accorde pas suffisamment. Pourtant «le monsieur qui m'a examiné m'a dit qu'il me fallait des lunettes au plus vite».

À l'école primaire, l'enfant pauvre est souvent vite identifié par ses vêtements, ce qui n'est plus le cas à partir du secondaire où s'habiller pauvre est la mode. L'école est l'endroit où on apprend à se faire des amis, mais où l'enfant pauvre craint de se faire des amis parce qu'il aurait honte de les inviter à la maison.

L'école, c'est l'endroit où l'on raconte ce qu'on a reçu en cadeaux de Noël... «Moi, dit candidement l'enfant, c'est monsieur le pompier qui nous apporte nos cadeaux de Noël». L'école, c'est aussi quand on demande de raconter nos vacances d'été... «banales passées sur l'asphalte ou dans un camp de vacances pour pauvres». À l'école ceux qui ne participent pas aux sorties scolaires sont, soit ceux qui sont punis, soit ceux qui ne peuvent défrayer leurs frais de participation. Mais dans l'esprit de l'enfant, note le Conseil, l'association se fait automatiquement entre être pauvre et être mauvais ou être puni. À l'âge adulte, ce sentiment imprécis sera devenu un complexe de culpabilité, paralysant et démobilisant.

L'atmosphère dévalorisante dans laquelle baigne une famille pauvre contribue à créer chez l'enfant la résignation à ne pas devenir «quelqu'un de bien, quelqu'un en vue».

Au Canada, 69.1 pour-cent des enfants qui vivent avec une mère chef de famille font partie des enfants pauvres. Les enfants des classes défavorisées ont généralement des

19

aspirations scolaires moins élevées que les enfants fortunés. Le rapport révèle, par exemple, que les enfants « peu doués » des classes aisées terminent plus souvent (72 pour-cent) leur treizième année de scolarité que les enfants « doués » des familles pauvres (18.3 pour-cent).

Les enfants pauvres sont deux fois plus sujets aux maladies ; il est deux fois plus probable qu'ils manqueront d'un à trois mois d'école par année par maladie, cinq fois plus probable qu'ils manqueront plus que trois mois de classe par année.

Famille-enfance

Le problème de « l'enfance malheureuse » est au fond le problème de la « famille malheureuse » et quand on analyse les causes de ces malheurs, la pauvreté vient en premier lieu.

Quand on voit les images terrifiantes de la pauvreté du Bengla-Desh à la télévision, on comprend notre impuissance et notre découragement à trouver une solution qui vaincra la pauvreté.

Au Canada, au Québec, si on s'y mettait lucidement, on réussirait à faire reculer les frontières de la pauvreté. Les solutions individuelles ne suffisent pas, les solutions étriquées des chèques d'Aide sociale ne suffisent pas, il faudrait avant tout accepter de reconnaître la pauvreté comme une priorité à combattre, et l'augmentation cupide d'un confort privilégié comme une chose de moindre importance. Dès ce moment, tant au plan individuel, que social, municipal, politique, on trouverait les solutions.

Les pauvres et l'exploitation

J'étais à une session à l'Université du Québec à Trois-Rivières où nous devions parler de la pauvreté et de l'engagement social du C.R.I.S. dans la lutte anti-pauvreté. Un des participants à la session posa alors bien naïvement la question suivante : « Oui, mais vous devez vous faire exploiter parfois par des pauvres, alors qu'il y en a d'autres, de vrais pauvres, qui auraient besoin... ».

C'est une question qui me fait toujours sursauter, même si on nous la pose immanquablement chaque fois que nous parlons de la pauvreté. Ça me fait toujours mal d'entendre cette question revenir chaque fois.

Ce n'est pas qu'elle soit méchante, mais elle traduit bien une mentalité largement répandue dans la population en général.

Vrai ou faux

Pour moi, il n'y a pas de faux pauvres et de vrais pauvres, il n'y a que des pauvres tout court. Mais cette catégorie sociale plus particulièrement définie par sa grande faiblesse économique ne fait que refléter les vices et les vertus que notre société véhicule à tous ses niveaux.

Mais, voilà, beaucoup voudraient que les pauvres, en dépit de leur pauvreté et de tout le contexte qui l'entoure, soient plus purs que tous les autres citoyens. On voudrait que les pauvres n'aient aucune faiblesse, des pauvres propres, propres, propres.

On refuse aux mal-nantis les faiblesses qu'on excuse facilement aux bien-nantis. On appelle souvent exploitation, chez les pauvres, certains mécanismes de survie et d'amélioration de leur condition que chez d'autres citoyens on vante comme étant de la finesse, de l'intelligence, de la débrouillardise, de l'initiative.

Jugé sans appel

Il y a des attitudes chez des vendeurs qui sont présentées comme des qualités et qui, appliquées aux pauvres, sont dénoncées comme des défauts.

Malgré un certain vernis d'humanité et de charité de bon aloi, on est dur, très dur pour les pauvres. On ne leur passe rien, on ne leur pardonne aucune faiblesse que l'on excuse aisément chez soi. Pourquoi? Parce que les pauvres sont pauvres et sans considération, et nous à l'aise et plein de considération?

Pourquoi est-on si dur? Est-ce parce que le visage de la pauvreté nous est parfois un vivant reproche à notre image de bien-être?

En leur donnant bien des torts, est-ce pour nous une façon de s'estimer dispensés de leur venir en aide et d'en avoir la conscience en paix?

Je crois qu'il faudrait reviser nos attitudes là-dessus, surtout lorsque l'on se dit chrétien.

Exemples

On reproche aux pauvres, avec leurs revenus dérisoires, de ne pas savoir administrer leur budget. Mais combien d'entre vous avec des revenus de vingt mille dollars se plaignent de ne pas arriver?

On reproche aux pauvres de ne pas savoir dépenser et souvent de faire des mauvais achats qui ne sont pas du strict nécessaire. Mais nous, consommateurs avertis, jusqu'à quel point savons-nous résister à l'attrait des étalages, jusqu'à quel point justifions-nous tel achat non nécessaire par le besoin de faire neuf et de mettre de la couleur dans le quotidien?

Pourquoi reprocher à des gens faibles de ne pas savoir résister à une publicité sollicitante, racoleuse et persuasive, alors que nous résistons si difficilement malgré toute notre éducation?

Un mauvais achat, un budget boiteux paraissent moins chez une famille à l'aise que chez une famille pauvre. Mais le geste est le même. Serait-ce que notre condition confortable nous donne le droit de gaspiller parfois et de faire des folies, que nous refusons d'excuser chez les moins bien-nantis?

Certes, quand on n'a pas les moyens, on se prive. Mais encore faut-il avoir la force de résister. Nous qui l'avons si peu, pourquoi reprocher à des gens qui ont souvent moins de chance que nous de ne pas l'avoir 365 jours par année?

Notre pyramide sociale est ainsi faite. Plus on est bas économiquement, plus on est jugé sommairement et condamné rapidement. Mais à mesure qu'on s'élève, les excuses viennent aisément.

Quelle que soit notre condition économique, ne devrait-on pas jouir de la même considération et de la même compréhension?

Dans une société fondée sur la lutte des hommes entre eux, on ne peut reprocher à certains pauvres d'utiliser les mêmes procédés, d'autant plus que c'est souvent une question de la plus élémentaire survie.

Il y a des accusations d'exploitation contre certains pauvres qui sont aussi injurieuses que celles lancées contre certains riches. Il n'y a pas deux poids, deux mesures.

Entendu

« À Victoriaville, il n'y a pas de vrai chômage puisqu'on est obligé de faire venir de la main-d'œuvre de l'extérieur. Il n'y a que des gars qui ne veulent pas travailler ».

C'est vite sauter aux conclusions. C'est surtout ne voir qu'un côté de la médaille. C'est voir le chômage du point de vue du patronat, de la productivité, de la rentabilité, de l'efficacité. Il faudrait envisager le chômage du point de vue du chômeur.

C'est ne pas connaître et ne pas comprendre les mécanismes qui créent le chômage et les chômeurs. C'est ne pas être au courant des difficultés rencontrées par les chômeurs qui doivent faire face aux emplois temporaires, aux retards souvent considérables dans la réception de leur chèque.

C'est, à tout le moins, n'avoir pas souvent parlé avec des chômeurs, et spécialement avec ceux qui se sont engagés dans la lutte contre le chômage.

C'est facile

C'est facile de régler le problème du chômage autour d'un verre de Rémy Martin dans un bar-salon huppé ou au cours d'une réunion mondaine. « Les chômeurs ne veulent pas travailler, ce sont des paresseux. Il faudrait que les gouvernements trouvent des mécanismes pour les occuper à quelque chose d'utile, service militaire obligatoire, etc… faudrait les obliger à… couper les chèques… ».

C'est beaucoup plus honnête de rencontrer de vrais chômeurs et d'essayer avec eux de trouver des solutions à leur problème.

C'est beaucoup plus honnête de mettre des noms, des visages connus et respectés comme personne humaine derrière les chiffres des statistiques fédérales.

C'est beaucoup plus difficile de voir un homme désemparé et découragé, un jeune devenu blasé par les refus essuyés, une famille insécure, que de voir uniquement des chèques d'assurance-chômage payés avec l'argent des contribuables. Le chômage, ce n'est pas des chèques anonymes payés avec notre argent à des paresseux, ce sont des hommes et des femmes dont le système n'a que faire.

D'agaçant à intolérable

Le chômage, c'est agaçant pour beaucoup de monde : gouvernements, contribuables, hommes d'affaire... Mais pour les chômeurs, c'est devenu intolérable.

Pour la société, c'est comme une maladie irritante de la peau. On peut éviter de se gratter. Mais quand ça pique trop, on applique des crèmes adoucissantes : conseillers en main-d'œuvre, cours de recyclage, formation en cours d'emploi, service de main-d'œuvre mobile. On fait taire l'irritation pour un temps, mais le mal n'est pas enrayé.

Le chômage n'est encore qu'agaçant, quand deviendra-t-il intolérable ?

Être chômeur

Être chômeur, cela devient intolérable lorsqu'on a perdu le goût du travail à cause de 6 mois — 1 an d'oisiveté.

— Lorsque l'on devient écoeuré de refaire toujours le même circuit : maison, salle de pool, restaurant, bureau de la main-d'œuvre.

— Lorsque l'on en a assez d'attendre dans le lobby du Centre de main-d'œuvre pour une autre entrevue avec un fonctionnaire et qui ne mènera pas à grand chose.

— Lorsque l'on en a assez à chaque démarche pour se trouver un emploi, de se faire répondre : « On vous téléphonera si on trouve quelque chose, il vous manque telle carte, telle expérience, vous ne parlez pas anglais, on va prendre votre nom... »

— Lorsque l'on a envie parfois de casser la gueule de celui qui se vante de ses deux jobs et qu'on voit avec amertume le couple de professeurs partir chaque matin, lui dans sa Mustang, elle dans sa Renault.

— Lorsque l'on se fait traiter de paresseux et qu'on sent un regard haineux dans notre dos. Lorsqu'on est quasiment venu à croire qu'on n'est plus bon à rien, même si on n'a que 25 ans.

Il est trop facile de condamner en bloc les chômeurs. S'est-on interrogé sur ce qui a fait qu'un travailleur est devenu un chômeur ? Allons-nous au fond de l'histoire ?

« Pour l'espérance, vaut mieux être des chômeurs regroupés que des travailleurs isolés ». (Un chômeur).

La vie

Une petite vieille

Une petite rue croche, un loyer rabouté à un deuxième étage auquel donnait accès ce qui avait déjà été un escalier, mais qui risquait de devenir bientôt un tas de planches.

Une dame âgée m'avait téléphoné la veille pour demander de l'aide. Je n'avais pas trop compris ce qu'elle disait, sinon qu'elle voulait de l'argent pour payer ses médicaments. J'avais essayé de lui expliquer au téléphone que le C.R.I.S. n'avait pas d'argent pour payer des médicaments. Mais il valait mieux passer la voir.

C'était une petite vieille bien sympathique comme on en voit tant. Elle avait le visage buriné par une vie de travail, de souffrance, de privation. L'histoire de sa vie, elle l'avait, écrite dans son visage.

Quand elle m'a fait entrer, elle pensait avoir affaire à un «gars» du gouvernement. Elle semblait gênée, mal à l'aise, ne sachant trop si elle devait me faire passer au salon. Elle s'attendait à me voir remplir un long questionnaire.

Puis nous avons «jasé» ensemble, assis l'un près de l'autre, dans la cuisine. Comme elle semblait contente de pouvoir parler, se raconter, sans réticence !

Elle avait bien peu de revenu pour vivre. Une petite allocation. À peine de quoi survivre en se serrant la ceinture.

Et puis il y avait ses médicaments. Elle me montra ses prescriptions. Elle fait de l'infection aux yeux. Elle peut à peine voir, ses yeux coulent sans arrêt.

Je lui demande si elle a de la famille, des enfants qui pourraient l'aider. Oui, elle a des garçons, bien mariés comme elle dit avec fierté. De bons garçons, bien établis, avec de très bons emplois.

« Vos garçons ne pourraient-ils pas vous aider ? » que je lui demande. « C'est difficile vous savez, me répond-elle ; je n'ose pas trop leur en parler. Ils ont des paiements à faire ».

« Quels paiements ? » je rétorque.

« Ben, y en a un qui vient de s'équiper pour le camping, il s'est acheté une roulotte. Vous savez, qu'elle me dit, ça coûte cher le « campigne ». Y sont pas capables de m'aider ».

« Pis votre autre garçon ? »

« Ben, l'autre vient de s'acheter une maison, pis il a changé ses meubles. Il n'a pas les moyens de m'aider, lui non plus, ajoute-t-elle avec un sourire maternel comme si ces hommes étaient encore les petits garçons d'antan.

Ça m'a frappé, sa réponse : « Y peuvent pas m'aider, ils ont des paiements à faire ».

Ça m'a fait réfléchir, j'oserais presque dire que j'ai été scandalisé.

Cette petite vieille fut jadis une bonne mère de famille, soumise, dévouée. Probablement comme tant d'autres mères, elle s'est sacrifiée continuellement, s'oubliant pour servir son mari, servir ses garçons.

Aujourd'hui âgée, veuve, seule. Elle finit sa vie comme elle l'a toujours vécue, en passant la dernière. Ses garçons, ils sont aujourd'hui bien installés, et c'est grâce à elle. Mais ils ont oublié leur mère. Ils ne peuvent pas l'aider, ils ont des paiements.

C'est devenu la réponse classique, l'argument décisif pour ne pas aider les autres. C'est un argument sans réplique, sans discussion possible. Faire ses paiements, c'est devenu la loi première, ce qui passe avant tout.

Le partage, l'entraide, le service, aider ses parents, penser aux autres, donner, tout ça est passé en dernière place dans la société. S'il reste du temps, s'il reste de l'argent, bref si ça ne dérange pas nos aises, nos projets matérialistes de consommateurs asservis, oui peut-être le partage, peut-être l'entraide.

Ce qui est premier, ce qui passe avant tout : faire ses paiements. Le reste ça peut attendre, mais faire ses paiements, c'est sacré !

Quand la consommation, quand la recherche exclusive de nos petits conforts égoïstes nous ont arraché notre âme et nous ont enchaînés à des «paiements», il est plus que temps de s'interroger sur l'état de notre conscience...

La porte ou la vie

Il devait bien être 7.30 hres quand on sonna à la porte. «Qui ça peut bien être, se dit Micheline en elle-même, personne ne me connait assez pour venir me voir ainsi le soir dans ma petite chambre». La nervosité s'empara d'elle et elle commença à se sentir mal. C'est pas nouveau chez elle. Complexée comme elle est, gênée à s'en rendre malade, juste à penser d'avoir à affronter un étranger, elle perd la tête. Elle paralyse, tout se brouille dans sa tête, elle se met à bégayer.

Tout de même, elle alla ouvrir. Là, sur le seuil de la porte, un type entre deux âges, l'air aimable et entreprenant, un porte-document à la main. Il se présenta poliment, vendeur, et s'offrit à entrer.

Avant même qu'elle puisse réagir, il était déjà installé dans la chambre et commencait son boniment de vendeur. Il était devenu impossible pour elle de le mettre à la porte. Elle s'était forcée pour lui ouvrir, mais maintenant le mettre à la porte parce qu'elle n'avait besoin de rien, ça dépassait ses forces. Mon Dieu, qu'elle se sentait tout d'un coup désemparée !

Pendant la demi-heure qui suivit, elle ne comprit rien à ce qu'il disait. Elle entendait, mais n'écoutait pas. Une seule pensée l'obsédait maintenant et occupait tout son esprit : qu'il finisse au plus vite, qu'il s'en aille, qu'il s'en aille...

Plus il parlait, plus elle se disait en elle-même qu'en ne lui posant pas de questions, il partirait peut-être plus vite. Mais il ne partait toujours pas, et il parlait, il parlait, il parlait...

Elle se sentait de plus en plus désamparée, le cœur au bord des lèvres, les yeux près des larmes. Elle se sentait paniquée. C'est fou, se disait-elle, mais je n'y peux rien. Elle était même prête maintenant à lui signer n'importe quoi pourvu qu'il parte au plus vite et la laisse tranquille.

Elle ne vit même pas la prime qu'il lui donna et signa un contrat en trois couleurs. Puis, après les courbettes de circonstances, le vendeur partit enfin.

Le lendemain matin, elle relit le fameux contrat : plus de $580.00, des chèques d'une trentaine de dollars par mois à verser. Et tout ça pour un coffre d'espérance dont elle se rappelait même plus ce qu'il contenait de marchandise.

Tout d'un coup elle réalisa sa bêtise, et elle s'en voulu de sa timidité, de sa faiblesse. Elle aurait donc dû ne pas ouvrir cette maudite porte. Elle se connait pourtant, elle sait qu'elle est sans défense. Les questions se bousculaient dans sa tête, quoi faire, quoi faire, quoi faire, mon Dieu ! Puis ce furent les larmes. Elle réalisait maintenant dans quel pétrin elle venait de mettre les pieds. Et avec son petit salaire, elle n'arriverait plus.

Ce n'est qu'en fin d'après-midi qu'elle m'appela. Il était encore temps de faire quelque chose, on pu résilier le fameux contrat, cette fois-ci la loi était du côté des petits.

Et le soir en rentrant à la maison, je réfléchissais à notre justice, à notre société sans cœur. Un de mes amis, un jeune ouvrier, risquait cette semaine-là une condamnation pour possession de marijuana. La justice était prête à le punir pour sa marijuana sans se demander si cette condamnation ne risquait pas de briser sa vie au moment même où elle commençait à s'organiser, tout ça pour de la marijuana.

Quant à ce vendeur qui avait presque réussi à attraper cette jeune fille pour plus de $500., il s'en tirait à bon compte, les pattes blanches. Cette jeune fille aurait pu être dans le pétrin pour un bon bout de temps si on n'était pas intervenu à temps. Et jamais ce vendeur et sa compagnie de Montréal n'auraient été inquiétés par la justice.

C'est quand même grave les contradictions de notre système, quelques fois, il n'y a pas d'autre solution que la porte ou la vie...

Un mardi

C'est une journée un peu spéciale parce qu'il fait soleil. Une belle journée pour couper l'électricité à un assisté social.

L'Hydro-Québec coupe l'électricité chez Mme X. Elle vit seule avec son vieux père. Elle est «su'l Bien-Être», comme disent les gens.

Elle est aux abois. Le congélateur décongèle, le chauffage s'arrête, plus de lumière dans la maison. Elle communique avec le Ministère des Affaires Sociales qui, il y a quelques mois, administrait son chèque. Au bureau d'Aide sociale, ils ne peuvent rien faire. «Allez au Centre de Relèvement et d'Information Sociale (C.R.I.S.), y vont vous aider».

Au C.R.I.S. c'est un appel de détresse parmi les 120 téléphones que nous recevons chaque jour. Les interventions du C.R.I.S. auprès de l'Hydro s'avèrent inutiles. Il n'y a pas de responsable à l'Hydro pour trouver une solution autre qu'administrative.

Mais au C.R.I.S. on n'a pas d'argent. Pourtant personne ne s'en lave les mains. Il faut trouver une solution, parce qu'on ne peut rejeter la responsabilité sur d'autres. Car il n'y a plus d'«autres»: des Clubs sociaux se défilent par la porte d'en arrière, des administrations finissent de «travailler» à 4.30 hres.

Un p'tit gars

Au C.R.I.S. ce jour-là, il y avait un p'tit gars de la Polyvalente. Souvent il vient au C.R.I.S. nous donner un coup de main, cherchant à rendre service à tous et à chacun. Un p'tit gars bien ordinaire, sans diplôme, sans prétention, caché derrière son ombre, mais un cœur

grand comme une maison-avec-une-porte-tout-le-tour.
Un p'tit gars avec un pied bot, séquelle de la poliomyélite.

Il apprend que l'Hydro vient de couper l'électricité de
notre Madame X pour un compte en souffrance, c'est-à-
dire un compte que l'Hydro ne peut souffrir au-delà d'un
certain délai mais qui fait souffrir notre madame.

Énergiquement, notre gars décide de s'en occuper. On
n'a pas d'argent, on va en trouver. Il met en branle ses
ressources, son imagination, son audace... En quelques
heures, à la Polyvalente, cet après-midi-là, parmi les
jeunes, une grande partie de la «solution» est trouvée.

Sans campagne publicitaire pathétique, sans mobilisa-
tion monstre, notre gars amasse près de $85.00 auprès des
jeunes de la Polyvalente. Le lendemain, le compte de
l'Hydro est payé, l'électricité est revenu, notre madame
retrouve son quotidien tel qu'elle l'avait perdu.

Un fait divers pour le C.R.I.S.? Non, un événement.
Un événement pour plusieurs étudiants de la Polyvalente
sensibilisés en l'espace de quelques heures à la pauvreté.
Un événement pour le C.R.I.S. aussi: même les plus
jeunes, les plus dépourvus sont capables de collaborer
efficacement avec le C.R.I.S. pour résoudre un problème
social. Et puis eux, c'est pas nécessaire de leur faire une
conférence, statistiques à l'appui, pour obtenir leur aide.

À Montréal, cela aurait pu faire la manchette d'un
quotidien du matin, dans le genre: «Des enfants d'école
empêchent l'Hydro de couper l'électricité à une pauvre
femme».

Mais à Victoriaville, il nous suffit de mentionner le fait
dans une petite chronique comme celle-ci, juste pour
attirer la réflexion sur deux points.

Le premier, c'est que dans notre société, l'administration n'a rien d'humain, n'a pas de visage et ne connait personne. L'administration prend toute la place sous prétexte de rentabilité et ne veut rien savoir des problèmes sociaux qu'elle engendre.

Le second point, c'est que lorsqu'il ne reste plus que des jeunes d'écoles pour apaiser des maux sociaux engendrés par leurs pères, on peut s'interroger sur le degré d'humanité de notre société.

Pendant que leurs parents se battaient avec le Conseil municipal pour leur payer des équipements de baseball neufs, les jeunes se cotisaient à même leur argent de poche pour empêcher une famille d'être privée d'électricité à cause de sa pauvreté.

Dans le corridor

Peu de personnes auront été témoins du désarroi de cette femme qui pleurait jeudi dans un petit passage d'un édifice gouvernemental.

Seule, doucement, sans éclat, avec gêne même : «elle n'en pouvait plus», me disait-elle. «C'est trop. Tout m'arrive en même temps et j'ai personne pour m'aider».

Maladie chez ses enfants. Accident pour un autre. Vieilles dettes réclamées par intimidation. Problèmes de vie matrimoniale. Et encore aujourd'hui, ce rendez-vous remis à la semaine prochaine... «Pourtant, ça presse, je n'ai plus rien. Que j'suis donc tannée. Pourquoi le Bon Dieu s'acharne-t-il sur moi»?

Quoi répondre?

Si au moins on pouvait être sûr que c'est le «Bon Dieu» qui s'acharne sur cette femme; si on pouvait être sûr que le «Bon Dieu» prend son plaisir à lui faire du mal; à la

faire pleurer dans les corridors de nos édifices publics...
on pourrait l'injurier et le haïr.

Mais ce n'est peut-être pas la volonté du « Bon Dieu »
que des femmes comme elle pâtissent inutilement.

Et si c'était à cause de nous... ?

Si on découvrait ça tout à coup ?

Avant aujourd'hui, combien d'accueils, d'écoutes, d'aides, cette femme a-t-elle cherchés dans notre ville ? Au nom de quelle justice l'intime-t-on de rembourser des dettes de son mari... ? parti !

En vertu de quels respects, de quelles règlementations l'a-t-on laissée une semaine, encore, dans son désarroi et son dénuement ?

Peu de témoins l'auront vue retourner à la maison auprès de ses deux petits, fiévreux, nez rouge, pleurnichards, les yeux alourdis de rhume et de bronchite.

Et ce téléphone de l'hôpital qui ne vient pas ?

Combien de secrétaires, de commis, de gérants lui auront dit cette semaine : « Mais, comprenez-nous madame » !

Qui finalement faut-il « comprendre » ?

Ce serait si libérant, tellement reposant de pouvoir reconnaître dans cet événement la volonté du « Bon Dieu » qui fait pleurer les êtres faibles malgré nos justices et nos bontés.

Trois petits 't' ours

Dix heures, dimanche soir.

Un dimanche d'été lourd des sueurs d'une fin de semaine humide.

Un dimanche comme tant d'autres, mais pourtant, pendant que la fête foraine annuelle s'achevait parmi les odeurs de patates frites, trois enfants étaient à la recherche d'un foyer, d'une famille, pour être hébergés quelques jours.

Trois enfants au visage fermé, s'attendant à tout et n'espérant rien.

C'était une femme qui se sauvait de son mari brutal et alcoolique, avec ses trois petits. Ils sont partis vite, avec le linge qu'ils avaient sur le dos. Ils venaient d'un petit village des environs.

La femme aboutit dans un presbytère. C'est là que le curé nous les a envoyés. Il ne savait quoi en faire…

On a fait quelques téléphones auprès de familles catholiques. Peine perdue, chacune se défilant avec de bonnes raisons, comme dans la parabole de l'Évangile.

C'est là que j'ai appelé une famille, pas pratiquante.

Là où j'ai téléphoné, ce soir-là, ils étaient déjà huit personnes : Monique, Yves et leurs six enfants.

« Monique, voulez-vous trois autres enfants », que je lui demande.

« Qu'est-ce que c'est ça c't'affaire-là » ? qu'elle me répond.

« Oui, voulez-vous prendre trois autres enfants pour deux jours, le temps qu'on s'en occupe ? On n'a personne pour les prendre en charge. Ces enfants ont besoin d'une femme et d'un homme compréhensifs ».

« Des grands enfants » ? qu'elle demande.

« Non, des tout-petits qui ont besoin d'un foyer ».

La voix, au bout du fil, se fait décisive. Je reconnais bien l'élan quand Monique me dit :

« Amène-les, on va se débrouiller ».

« Écoutez, je ne veux pas vous surcharger », dis-je, réalisant bien qu'ils sont déjà huit. « J'ai essayé de rejoindre d'autres personnes, elles n'en voulaient pas ».

« Pourquoi que tu m'as pas appelé tout de suite » ? me répond-elle sur un ton de reproche.

« Votre mari » ? dis-je, pour la forme.

« Pas de problème ! Y chiâle, mais pour ces affaires-là, y é toujours d'accord ».

Tout-à-coup, ce dimanche soir-là, ils étaient devenus onze, le temps de frapper à la porte et de tendre la main.

« On va se débrouiller », qu'elle avait dit.

Les trois enfants sont arrivés dans le tas et on leur a fait de la place… simplement… sans remplir de questionnaires en trois exemplaires de couleur différente, sans exiger d'explications soupçonneuses.

Même le plus petit des trois a « senti » qu'il était accueilli quand, doucement, timidement, s'arrachant à toutes ses craintes et terreurs d'une journée bouleversante, il s'est approché lentement, les mains dans le dos, vers cette femme qui lui souriait… par-dessus ses six enfants.

Il y avait en ville, ce soir-là, une-maison-avec-une-porte-tout-le-tour.

La Passion selon le Bien-Être social

Vous connaissez la Passion selon Saint Mathieu, la Passion de Haendel, la Passion de Péguy, la Passion de

Saint-Preux. Mais connaissez-vous la Passion selon le Bien-Être social ? Peut-être pas, pourtant il s'en faut de peu qu'elle soit la plus pathétique.

C'est une passion lente, une mort à petit feu que l'on fait subir à certaines familles. On les détruit moralement après les avoir épuisées économiquement. Et ceux qui font subir cette passion, comme disait Jésus-Christ : « Ils ne savent pas ce qu'ils font ». Ce sont des fonctionnaires que d'aucuns qualifient de bornés qui mettent toute leur fierté d'homme à appliquer sans discernement une loi d'Aide sociale bête et méchante.

Au nom de la lettre de la loi, certains fonctionnaires de l'Aide sociale opèrent une destruction lente mais systématique de certaines familles nécessiteuses. Et le soir, probablement qu'ils rentrent chez-eux fiers d'avoir appliqué une loi punitive, sans s'inquiéter de savoir s'ils ont fait souffrir des gens faibles et sans défense. Ils ont fait leur devoir, ils ont servi leur gouvernement, peu importe les familles qui paient la note.

Pendant la semaine sainte, certains ont le loisir de lire la Passion, mais d'autres doivent la vivre.

C'est vendredi soir, y aura pas de week-end encore cette semaine, et j'ai le cœur gros parce que je suis encore placé devant le problème d'une famille de chez-nous que le Ministère des Affaires sociales fait vivre dans la privation, les brimades, les tracas continuels. On écrase des familles, puis après on leur dit, pour s'en débarrasser : « Allez au C.R.I.S., y vont s'occuper de vous, y vont vous arranger cela ».

J'aurais besoin d'aide. Vous qui jugez que la pauvreté n'existe pas et que tout va très bien dans le meilleur des mondes, peut-être aurez-vous des solutions à me proposer !

Première station

Une famille de cinq personnes, trois enfants dont le plus jeune est malade. Le père, invalide totalement, la mère aussi, de santé précaire. Ils vivent d'Aide sociale.

Vous savez comment le coût de la vie a augmenté depuis quelques mois. Pendant ce temps, cette famille a vu son chèque d'Aide sociale diminuer de $287. par mois à $273. en novembre. Puis ce chèque a baissé de nouveau à $258. par mois en janvier. Ensuite on les a baissés de nouveau à $250. en février, pour les remonter à $258. en mars, puis les rebaisser de nouveau à $240. par mois en avril.

Vous savez que $240. par mois, ça fait $55.80 par semaine, $7.97 par jour, pour une famille de cinq. Pendant ce temps, le beurre augmente de 6 sous la livre, après le pain, après la margarine, sans compter le reste. Pendant ce temps, y a du monde qui vont rire devant le film « La grande bouffe ».

Deuxième station

L'aînée des enfants atteint 18 ans en janvier, pour elle pas d'Aide sociale, pas d'allocation familiale. Elle est étudiante mais ne reçoit pas de bourse. Elle sera obligée de quitter le collège parce que ses parents n'ont pas les moyens de la faire instruire. Sera-t-elle forcée d'abandonner ses études pour aller travailler dans une « shop » ?

Cette famille ne reçoit que $240. par mois parce qu'elle a la chance de ne pas payer de loyer comme tel. Pour cela, l'Aide sociale lui est coupée de $69. par mois, rien pour le chauffage, rien pour l'électricité. La maison qu'elle occupe leur a été léguée en héritage mais elle ne leur appartiendra qu'à la mort du donateur. Ces gens ne peuvent donc pas vendre, ni emprunter sur hypothèque. Depuis trois ans, ils se sont endettés pour payer les taxes, pour effectuer des réparations majeures à la maison.

Récemment un fonctionnaire zélé a décidé de reviser le dossier. Remontant trois ans en arrière, il leur fait envoyer un compte de $1,670. pour des trop-versés d'Aide sociale. La raison : ils se croyaient locataires, alors que l'Aide sociale les reconnait propriétaires.

L'Aide sociale leur réclame $1,670. en trop-versés pour un loyer qu'ils ne payaient pas. Mais avec cet argent, ces gens avaient fait effectuer les réparations nécessaires pour rendre la maison habitable ; ils se sont même endettés pour cela. Trois ans après, l'Aide sociale leur réclame l'argent utilisé pour les réparations, alléguant que ce n'était pas un coût officiel de loyer.

La Passion

Additionner tout cela, avec la maladie, le coût de la vie qui monte, le chèque qui baisse, l'humiliation, l'incompréhension, c'est cela la Passion selon le Bien-Être social, la Passion qu'on ne lira pas dans nos églises...

Les enfants pleurent le dimanche

Juillet... une journée encore jeune, avec un soleil « pettant » de santé, comme on dit chez-nous.

Levé tôt, puis la barbe, le petit déjeuner, les prières et la grand'messe : cérémonial de p'tit vieux, un beau dimanche d'été.

En s'éveillant ce dimanche-là, le vieux, solitaire comme d'habitude, avait ressenti au creux de lui-même ce léger serrement de cœur qu'il connaissait si bien.

Depuis qu'il était vieux, c'est un peu de même que commençaient les dimanches d'été, trop beaux pour lui : ça commençait par un serrement de cœur de p'tit vieux.

Dans le fond, c'est vrai, vous savez, on dirait que certains dimanches d'été semblent faits rien que pour les jeunes, tellement l'appel à la liberté se fait pressant : «Sortez de chez-vous, bonnes gens, amusez-vous, on vous rend la liberté puisqu'aujourd'hui, c'est dimanche» !

Mais comment veux-tu sortir et être libre quand tu es vieux et que t'as une jambe qui veut pas suivre l'autre ?

Il faut dire que notre vieux a une jambe pratiquement inutilisable. Elle est comme de la guenille depuis que... eh bien depuis qu'il est devenu vieux.

Albert, c'est son nom. Albert ne se souvient pas au juste quand il est devenu vieux. En tous les cas, il ne s'y habitue pas.

Je passais par là lorsque je l'ai aperçu, se berçant sur son balcon. Le vieux se berce ainsi tous les jours de l'été. Mais le dimanche, quand il fait trop beau, même sa chaise berçante semble triste, elle grince.

Il était près de midi. La ville commençait de se vider. Le monde aime sortir, les beaux dimanches d'été.

Le vieux regardait défiler des rangées d'autos resplendissantes, pleines d'enfants-sourires-avec-des-popsicles-dans-la-bouche, des jeunes habillés en sport. Il y avait aussi des autos avec des roulottes, pour le camping.

Il aurait bien donné tout son chèque de pension, juste pour partir lui aussi vers une petite rivière tranquille, le plaisir de taquiner le poisson, comme dans le temps.

Oui, tout son chèque de pension, il l'aurait donné même s'il n'avait plus rien pour finir le mois.

Mais quand on est vieux et invalide... quand on a fini de payer le loyer, la grocerie et le tabac, y en reste plus pour se payer une voiture pour la promenade, un beau dimanche d'été.

Tel que je le connais, il devait se rappeler ces dimanches tristes de son enfance, à Montréal.

Son père travaillait le dimanche comme concierge à l'hôtel pour arrondir la maigre paye de la semaine gagnée à la shop. Sa mère, la pauvre femme, dormait quasiment tout l'après-midi pour refaire un peu ses forces afin d'être capable de recommencer l'autre semaine.

Lui et son frère plus jeune passaient le dimanche après-midi à feuilleter de vieux catalogues tout froissés d'Eaton et de Simpson, en rêvant, devant ces vitrines improvisées, de bébelles qu'ils ne pouvaient avoir.

On dit que les vieux retombent en enfance : aujourd'hui, à Victoriaville, par ce trop beau dimanche de juillet, Albert ressentait la même tristesse des dimanches d'été de son enfance, rue Ontario, dans le grand Montréal, sur un balcon semblable.

Savez-vous que ça devient « platte » des fois d'écouter les Expos à la radio, le dimanche, quand il fait beau ? Mais le pire, c'est ce sentiment de solitude et d'isolement, cette maudite impression de garder une ville fantôme quand tout le monde sort le dimanche.

Un vieux comme lui, ça se sent seul, bien seul quand il fait beau et que tout le monde est sorti se promener. Mais jamais il n'a osé se plaindre ouvertement.

Le monde n'aime pas ça les vieux qui se plaignent. Le monde appelle ça des vieux gâteux. Lui, Albert, il ne veut pas être un vieux grincheux, il veut que le monde trouve que c'est donc un bon vieux. Ça fait qu'il ne se plaint jamais.

Il y a deux ans, il a reçu une canne à pêche avec tout le grément, don d'un club de bienfaisance de la ville. Il ne s'en est encore jamais servi. Le «kit» est encore flambant neuf. À quoi ça sert une ligne à pêche quand on ne peut pas y aller parce qu'on est vieux et que personne ne nous y amène?

Les gars du club de bienfaisance avaient oublié qu'une canne à pêche, ça ne va pas à la pêche toute seule, même avec tous les accessoires qui vont avec.

Mais ça n'intéresse pas beaucoup le monde d'amener un p'tit vieux à la pêche. C'est un paquet de troubles, y parait. Et puis, qu'ils disent, quand on a déjà sa petite famille... «Il serait bien mieux à l'hospice, y a du monde payé pour s'occuper des vieux».

Mais tout ça n'empêche pas qu'à Balconville, les beaux dimanches d'été, il y a encore des enfants qui pleurent.

Pas les petits enfants gâtés qui pleurent parce que l'eau de leur piscine-creusée est trop chaude, ou parce qu'il leur manque le vingt-neuvième article de G.I. Joe ou le trente-deuxième accessoire de Barbie.

D'autres enfants, plus vieux, beaucoup plus vieux.

Ce sont ceux qu'on n'entend pas pleurer.

Un homme : Jésus

Le prophète

Dimanche dernier, la liturgie dominicale de l'Église catholique offrait à ses adhérents de réfléchir sur l'événement du baptême de Jésus de Nazareth.

Par delà les genres littéraires de l'époque : le ciel qui s'ouvre, la colombe qui descend, la voix venant du ciel, par delà donc le symbolisme de ce vieux texte de près de deux mille ans, il faut savoir reconnaître le sens de l'événement vécu par cet Homme, Jésus de Nazareth.

Jésus va se présenter à cet homme irréductible et incorruptible qu'est Jean le Baptiste, justement surnommé ainsi parce qu'il prêchait le « changement de vie » et joignait le geste à la parole en baptisant dans l'eau ceux qui se présentaient à lui repentants et désireux de changer de façon de vivre.

Le monde connu d'alors était dominé par l'empire romain, de la même façon que nous sommes dominés nous par l'empire américain et ses valeurs d'argent, de profit, de domination, de cupidité, de confort. Une immense lassitude s'était emparée de certains juifs de l'époque. Lassitude devant la corruption des riches et des puissants, lassitude devant la misère des pauvres. Ça commençait à bouger, plusieurs voulaient faire quelque chose pour que cela change. C'est à tous ces hommes et ces femmes de cœur que Jean, l'homme rude du désert, adressait son appel à changer de vie.

Jésus était de ceux-là. Sentant au plus profond de sa foi que l'heure était enfin venue de faire quelque chose pour son peuple, il avait quitté sa ville natale, ses amis, ses parents, il avait abandonné son métier de charpentier, une bonne «job» pourtant, un métier qui avait de l'avenir. Sa folie commençait.

Et il alla rejoindre Jean le Baptiste, celui qui parlait haut et fort de justice, de jugement, de partage. Jean était de cette antique lignée des prophètes, ces hommes de droiture dont la Vérité et la Justice consumaient le cœur et brûlaient les lèvres. Ces prophètes que les puissants du temps avaient assassinés pour les faire taire. À l'époque de Jean, ça faisait plusieurs siècles qu'aucun prophète ne s'était levé dans le peuple pour hausser le ton et dénoncer les injustices.

Solidaire

Décidé à faire un choix, à opter pour l'amour et la justice, décidé à donner sa vie pour la cause des siens sans cependant trop savoir comment exactement, Jésus alla se présenter à Jean le Baptiste qui pressentit en cet Homme une force morale peu commune, un destin énigmatique, une présence exceptionnelle.

Pour Jésus, ce fut le point tournant de sa vie. C'était le départ. En se faisant baptiser par Jean comme ses concitoyens les plus conscients, Jésus se faisait solidaire de la situation sociale de son époque. Il en endossait toutes les ambiguïtés, reconnaissait toutes les failles. Bref, il s'en repentait, se reconnaissant, du fait même de vivre cette époque, d'être compromis avec les malheurs de son peuple.

À partir de désormais jusqu'à dorénavant, ça ne resterait plus ainsi, il ferait quelque chose, il s'y consacrerait totalement. L'expérience spirituelle du baptême, rapportée par l'Évangile avec des images symboliques, signifie que dans son cœur, Jésus savait que Dieu était d'accord avec son engagement et le soutiendrait jusqu'au bout, quoiqu'il arrive.

On tue les prophètes

On connait la suite. Jean le Baptiste fut exécuté par un des puissants du temps pour avoir trop parlé. Jésus connut le même sort. Pour tous ceux qui s'appellent chrétiens, c'est-à-dire disciples de Jésus le Christ, le message de sa vie nous atteint par delà deux mille ans d'histoire.

Notre époque connait à un degré maintenant aigu les drames sociaux de toute société malade, de toute civilisation en décadence, tout comme la civilisation judéoromaine du temps de Jésus. Ceux à qui cette forme de société profite ne peuvent pas supporter que d'autres la contestent en invoquant la justice et l'amour des plus pauvres. On accuse alors de pousser les gens à la révolte.

Dans son éditorial du 7 novembre 74 dans *Le Jour*, Yves Michaud disait : « Il y a plusieurs façons d'imposer le silence aux pauvres. La première est d'étouffer les voix qui osent parler trop haut et trop fort de justice et de liberté. » Pour ceux dont Jésus est le maître, le chemin peut être le même.

Dimanche matin

Ça discutait ferme ce matin-là à Québec. C'était un dimanche de printemps, le soleil déjà avancé pour l'heure encore tardive promettait un bel après-midi.

Ça discutait ferme ce matin-là, sur la rue, dans les cafés, les restaurants, dans les parcs. Ça discutait ferme car on se rappelait les événements de l'avant-veille. On avait exécuté un homme après un procès un peu rapide :

on l'avait accusé de comploter contre le gouvernement et de semer le trouble dans la population.

Ça discutait ferme parce que tous n'étaient pas d'accord au sujet de cette exécution. L'Homme qu'on avait si promptement exécuté était bien connu des gens de la région. Depuis près de trois ans qu'il parcourait le Québec avec une douzaine de ses amis, prêchant on ne savait trop quelle politique, ou quelque religion nouvelle.

Certains lui reprochaient d'avoir semé la discorde dans la population, d'avoir contesté le gouvernement. Quant à l'Église, ses prélats avaient d'ailleurs mis les fidèles en garde contre ce bizarre de prophète qui se permettait d'être au-dessus des lois sociales et religieuses. Les fidèles avaient été mis en garde contre toute forme d'enthousiasme ou d'engouement vis-à-vis la doctrine de cet Homme.

Pour l'arrêter quelques jours auparavant, il avait fallu faire intervenir non seulement la police, mais aussi l'armée, dont un détachement spécial venu de Valcartier était venu prêter main forte aux policiers de la vieille capitale.

En lisant les reportages des journaux du dimanche matin, on se rendait compte que les accusations portées contre cet homme étaient contradictoires.

On avait même prétendu, du moins certains témoins, qu'il avait voulu renverser le gouvernement et tout rétablir en trois jours. D'autres, des religieux, lui reprochaient d'avoir envahi la basilique de Sainte-Anne (de Beaupré) un dimanche et d'avoir fait sortir les gens par la force renversant, avec ses amis, les charriots soutenant les lampions allumés, les étals de médailles...

Si beaucoup le haïssaient, surtout parmi les riches et les puissants dont il avait si souvent dénoncé l'exploitation qu'ils faisaient subir au peuple, plusieurs par contre se réclamaient de Lui : de vieilles cellules du FLQ étaient soudainement réapparues, se réclamant de ce Libérateur, des mouvements d'étudiants de Cegep et d'Université, pieds nus et fumant du pot, en avaient fait leur Maître, des cercles charismatiques prétendaient faire sa volonté, des groupes de contestation sociale faisaient de ses paroles leur cheval de bataille.

Et pourtant, Lui, dans tout cela, avait toujours refusé de se prononcer par rapport à telle ou telle faction sociale, politique ou religieuse.

Lui qui avait connu une telle popularité pendant les derniers mois, voilà qu'au cours des derniers jours, tous s'étaient retournés contre lui, pour la plupart déçus qu'Il n'ait pas marché dans leurs intérêts sectaires.

Énigmatique, voilà le mot. Au fond, malgré la violence de sa vérité qu'il avait toujours proclamée au grand jour, sur la place publique, il restait pour tous profondément énigmatique, comme s'il n'appartenait pas à ce monde.

Parce qu'Il avait parlé d'un autre monde, fait de justice et d'amour, de partage et d'honnêteté, des tireuses de cartes et des astrologues soutenaient qu'Il était un extra-terrestre, venu d'une autre galaxie.

Il avait dit : « Vous ne pouvez servir deux maîtres, l'amour du prochain et l'argent ». Certaines de ses paroles envers le système étaient très dures ; par contre quand il s'adressait aux gens simples, Il était d'une extrême délicatesse.

Ce midi-là, à travers le Québec, toutes les émissions « hot-line » à la radio portaient sur ce personnage. Il avait dit, parait-il, que même si on le tuait, ce qu'il avait prédit d'ailleurs, il avait dit que jamais il ne disparaitrait.

C'est pour cette raison que la police et l'armée patrouillaient les rues de Québec ce matin-là, cherchant ses complices. Mais ce semblait peine perdue parce que les rues de Québec, ce matin-là, étaient achalandées comme dans la dernière fin de semaine du temps du carnaval.

Alors que les chefs du peuple se félicitaient d'avoir rétabli l'ordre et la paix ; alors qu'un chef d'État sur les écrans de télévision déclarait à un public agité : « Valait mieux qu'un seul meurt... » quelques hommes, quelques femmes, réunis dans un vieux loyer de la basse ville, se préparaient à propager son Esprit de justice et d'amour.

Pâques [1]

Pâques, cette semaine, ces jours-ci.

La Parade, les sucres, les vêtements neufs... le Printemps et une fête : Pâques ! Congé payé... jambon, lapins de chocolat. Grande animation dans les Églises, etc...

Combien, parmi nous, ont oublié ou ne savent pas que nous allons fêter un événement autant social que religieux ?

Beaucoup vont encore une fois fêter seuls, pour soi-même, une confession, une jointure de quelques minutes avec un acte de religion et ensuite se laisseront emporter par les gadgets de la Parade de Pâques.

Événement social

Pâques, c'est pourtant toute l'histoire sociale de libération que des hommes ont entreprise depuis la construction des pyramides d'Égypte.

_____

(1) D'après une idée originale de Raymond Roy.

Le syndicalisme, le coopératisme chez-nous, les révolutions chez certains peuples appartiennent à Pâques.

Parce que Pâques c'est le rappel des efforts de tous les « courbés », « oppressés », « sans pouvoir », « inassouvis », « faibles », pour « sortir » des événements, des circonstances, des volontés qui veulent les courber et les maintenir ainsi.

Les demandes faites au Pharaon d'Égypte par les Hébreux employés à la construction des pyramides ressemblent étrangement à certains de nos contrats de travail d'aujourd'hui.

Le grand rassemblement autour de Moïse peut se comparer aux regroupements de peuples autour de chefs sauveurs.

La longue marche dans le désert s'apparente facilement aux longs parcours, aux luttes quotidiennes accomplies par des nations ou des classes sociales.

Événements religieux

Cette volonté de relèvement social de millions d'hommes avant nous a rencontré le dessein de Dieu sur les hommes. Et cette rencontre s'est traduite en un accord, une Alliance entre Dieu et les hommes en quête de libération.

Plus tard, cette Alliance s'est traduite à nouveau dans un Homme de Nazareth qui a suffisamment signifié par sa mort, et sa résurrection qu'il avait ramassé en lui toute cette puissance de libération.

Cet événement de Pâques devient événement religieux quand nous le rapprochons de Jésus.

Ne comptons donc pas trop sur Eaton pour rapatrier chez nous le printemps de la libération et du redressement de nos «courbures».

Fêter Pâques conjointement, solidairement avec le Pharaon, c'est impensable, c'est naïf, et surtout ça prépare des lendemains amers.

Profiter de Pâques pour demander ou renouveler sa «Master Charge», c'est abandonner la fête, retourner en arrière et donner raison au vieil Isaïe qui dit, du fond des âges: «L'homme ne vit pas que de pain...»

Pâques, c'est la libération... à moins que les chrétiens d'aujourd'hui ne veulent pas.

L'Esprit...

Il avait pris parti pour les faibles, les pauvres, les petits. Il avait pris parti pour les perdants de ce monde. Et, aux yeux des hommes, Il a perdu lui aussi. À force de prendre la part des opprimés, on finit par subir le même sort.

Arrêté, jugé sommairement et condamné par les puissants de son temps, trahi et abandonné par ses proches, Jésus meurt.

Lui qui s'était battu pour une plus grande justice, Lui qui n'avait cessé de prêcher l'amour du pauvre et de l'opprimé, on l'élimine à son tour.

Cet Homme si extraordinaire qu'on en parle encore deux mille ans après, qu'a-t-il fait, qu'a-t-il laissé? Apparemment rien de concret, rien de grandiose.

Jésus n'a laissé aucune cathédrale témoin de sa foi. Il n'a laissé aucun monument architectural comme les rois de jadis. Il n'a édifié aucun empire comme Alexandre,

Napoléon ou autres. Il n'a laissé aucune organisation précise avec des comités, des lois, des règlements.

Il est mort avant d'avoir réalisé quoique que ce soit de concret et de structuré COMME SIGNE de sa réussite. Aucune fortune colossale, aucune entreprise, aucune invention célèbre, aucune découverte médicale historique, même pas une carrière longue et fructueuse, rien de toutes ces choses pour lesquelles les hommes aiment être mis à l'honneur.

Comment comprendre que nous qui aimons nous voir en photo dans le journal, nous qui aimons nous vanter de notre réussite matérielle, de notre prestige, de notre argent, comment comprendre que nous qui tenons en peu d'estime les pauvres, les faibles, les perdants et qui adulons les puissants, les vedettes, comment comprendre que nous puissions adorer un Homme mort pauvre, jugé comme bandit, exécuté comme terroriste ?

Comment comprendre que nous qui défendons l'ordre et la loi, nous puissions aussi adorer un Homme jugé comme fauteur de troubles, un Homme qui a semblé jeter la pagaille dans son milieu, un Homme jugé hors-la-loi et exécuté comme tel ? Voilà qui est paradoxal.

Jésus en mourant n'a rien laissé de ce que nous attendons généralement d'un homme célèbre. Pourtant il a laissé en héritage quelque chose de plus puissant : son Esprit.

Je remets mon Esprit, avait-il dit en expirant. C'est cet Esprit qui, depuis le matin de Pâques, n'a cessé de hanter la conscience des hommes de bien, bouleversant leurs principes étriqués, les incitant à se mettre au service des pauvres, des faibles, des petits.

Il n'est pas mort, son Esprit revit dans chaque homme généreux, dans chaque femme courageuse. Cet Esprit de partage, de bonté envers les opprimés, il nous faut nous aussi le transmettre. Et comme Jésus, quand nous mourrons, nous continuerons de vivre par cet Esprit qui continuera de hanter les consciences.

Noël

Les vrais pauvres

Ça sera pas ben long que ça va être encore Noël. Déjà les magasins ont commencé à faire du raccolage. Je connais des familles qui ont reçu leurs catalogues Eaton et Simpson, et les pages sont déjà toutes chiffonnées parce que les enfants les ont regardés souvent.

Il va falloir acheter des tas de cadeaux, parce que si t'achètes pas de cadeaux à tout'l'monde, tu passes pour un «cheap». Et puis ben sûr, il va y avoir des quêtes pour les pauvres. À Noël, il faut aussi penser aux pauvres, mais attention... les vrais pauvres. Pas ceux qui ont du beau linge, presqu'aussi beau que le nôtre. Pas ceux qui ont des gros colas dans leur frigidaire. Non, je parle des véritables vrais pauvres, des pauvres qui ont vraiment rien. Eux-autres, ça fait plaisir de leur donner.

Tu comprends, t'arrives chez eux avec des bébelles, pas neuves mais bien réparées, t'arrives avec un panier de provision. Ils te regardent avec des grands yeux. Y sont tellement contents que des fois, on dirait qu'ils sont quasiment gênés. Ça fait chaud au cœur de voir qu'il y a encore du bon monde pour penser aux pauvres.

Ça c'était le bon temps. Le temps où y avait encore des vrais pauvres. Mais des pauvres, y en a plus bien gros aujourd'hui. Avant tu le savais qui étaient pauvres en ville, ça paraissait qu'ils étaient pauvres. Astheure, on dirait que les pauvres veulent plus que ça paraisse qu'ils sont pauvres.

La société s'est tellement corrompue, je dirais, que tu ne peux même plus te fier aux pauvres. Tu l'sais plus qui sont les vrais pauvres, ça reçoit toutes sortes de t'chèques du Bien-Être. Y est rendu même que des pauvres ont la télévision.

Je me suis même laissé dire qu'y avait des enfants de pauvres qui vont dans les discothèques. Je connais un pauvre que ses enfants boivent du coke même la semaine. Chez nous, les enfants sont obligés de boire du lait.

Non, ça n'a plus de bon sens. Si y veulent plus être pauvres, les pauvres, y ont rien qu'à le dire, on les aidera plus. Je trouve que les pauvres ont perdu le sens des responsabilités. Ils ont un devoir envers la société, il faut qu'ils fassent leur devoir de pauvre.

Et puis à qui on va faire la charité, nous autres, si y a plus de vrais pauvres, il faut qu'on se trouve une « œuvre ». Ça sait pas tous les problèmes que ça nous cause. Faut faire des enquêtes maintenant pour savoir ceux qui sont vraiment pauvres.

C'est rien ça, y é rendu que les curés veulent remplacer la charité par la justice ; ça parle d'égalité, de partage. Remarquez bien, un jour y vont nous dire que les pauvres ont droit d'avoir la même chose que tout le monde. C'est grave ça !

Faudrait éduquer les pauvres, leur apprendre à tenir leurs engagements envers la société. Il va falloir à un moment donné que les pauvres se fassent une idée : y sont pauvres, ou bien y l'sont pas.

S'ils sont vraiment pauvres, qui se cachent pas, qu'ils nous le montrent, on va leur faire des gâteries. Mais s'ils ne veulent plus être pauvres et se comporter en pauvres y ont rien qu'à le dire, on les aidera pas.

* * *

Ce genre de monologue à la Yvon Deschamps est au fond terriblement triste, parce qu'il y a des gens dans notre milieu qui pensent ainsi. Dans certains milieux, dans certains clubs sociaux, dans certaines shops, on rencontre ce genre de réflexions, ce genre de préjugés dans les discussions.

Aider les pauvres à Noël, c'est bien beau. Pour certaines personnes, ça leur donne bonne conscience. Mais si ce qu'on fait pour les pauvres à Noël, on n'est pas capable de le faire au cours de l'année, il manque quelque chose à notre conscience sociale.

« Comptes » de Noël

Il faisait froid, pas mal froid. Même avec mon anorak, un bon foulard et mes bottes de «pusher», j'avais pas chaud.

Lui, il marchait à mes côtés, en p'tits-souliers-et-bas-de-coton, trench-coat d'été sur un pâle habit fatigué, au veston trop grand et au pantalon trop petit, cravate jaune, cheveux gris et barbe de trois jours.

Il marchait à mes côtés sur la grand'rue à Victoriaville, en cette fin d'après-midi si froide pour un début de décembre.

On allait magasiner...

J'allais lui acheter un couteau, une fourchette, une tasse, un bol à soupe, une assiette, une poêle, un chaudron : le gros équipement quoi ! Pour un gars de 49 ans qui sort de Saint-Vincent-de-Paul, qui n'a rien et voudrait, sans le sou, se faire un nid chaud dans une misérable chambre.

Moi qui me prive d'acheter quoique ce soit, tellement

j'ai horreur des magasins, j'me voyais dans les allées du Continental, cherchant le rayon des assiettes.

J'trouvais ça drôle… j'trouvais ça triste aussi…

On a beau travailler dans la misère jusqu'au cou, mais on ne s'y habitue pas.

J'avais bien de la difficulté à le comprendre quand il me contait toute son histoire : il avait un dentier trop grand qui ne savait pas sur quelle gencive s'accoter, dentier donné en prison.

Quarante-neuf ans.

Quarante-neuf ans, l'âge de mon père quand il est mort à Drummondville en 1963, crevé, usé à la corde d'avoir trop travaillé avec ses deux jobs qu'il avait toujours été obligé d'avoir pour que la famille survive.

Crevé et usé par des patrons sans cœur que ma mère, pleurant de chagrin, a maudit sur le lit de mort de son mari-qui-avait-jamais-pris-de-vacances - et - qui - mourait-fatigué-sans-avoir-eu-le-temps-de-se-reposer.

J'avais seize ans.

J'en ai vingt-huit. Je m'en souvenais d'autant mieux maintenant que Jos, aujourd'hui, à quarante-neuf ans, marchait à mes côtés, en ce froid après-midi de décembre.

Il me regardait bizarrement comme si j'avait été son père, et me suivait docilement dans les allées du Continental comme un petit garçon.

C'est bizarre, la vie.

La vie, ça remue l'humain qui cherche toujours à s'assoupir et à s'endurcir en nous.

Toujours est-il que lorsque j'eus réussi à lui trouver enfin une chambre, il a dit à la logeuse, avec son dentier trop grand et l'air battu d'un gars qui vient de faire deux ans : « J'vas me faire la barbe, vous allez voir que j'suis propre... On s'est acheté un rasoir et d'la crème à barbe au Lasalle tout-à-l'heure. »

« On s'est acheté un rasoir », qu'il a dit en détournant son regard vers moi.

La femme m'a regardé, elle a souri, et j'ai vu que non seulement elle était belle, mais elle était bonne. Elle lui a donné un oreiller, moi mes draps et Dubois sa couverture de laine : il était « fully equipped » en moins de rien.

« On en a réglé des affaires depuis à matin » qu'il me dit en riant trop grand... de joie... son baptême de dentier qui lui flacottait entre les gencives.

Je souris.

C'est vrai, depuis que l'Aide Sociale nous l'avait envoyé au C.R.I.S. le matin, nous demandant de s'en occuper pour s'en débarrasser ; depuis qu'il m'était arrivé en bafouillant, à moitié habillé en hiver, s'excusant de déranger, disant qu'il en avait pas l'habitude (J'comprends, deux ans en-dedans !) ; c'est vrai qu'on en avait réglé des choses : trouver un logis, de la nourriture, des vêtements chauds, un rasoir, une assiette, couvertures, un peu d'argent, des cigarettes toutes faites, une job en vue...

C'était pourtant bien simple.

La logeuse, lorsque nous le laissâmes dans sa nouvelle chambre, me fait la réflexion : « Ça fait donc pitié, un homme de son âge aussi seul et démuni en plein temps des fêtes ! »

Le temps des fêtes ? Fêtes de quoi, fêtes de qui ?

Pendant que je lui achetais une fourchette et une

assiette pour manger, le monde dans le magasin achetait leurs cadeaux des fêtes, le gros vingt au bout des doigts.

Le monde, à coté de Jos et moi, attendant à la caisse pour payer leur temps des fêtes, le monde ne savait pas que pour Jos, aujourd'hui, le temps des fêtes était commencé.

Quant à moi, je me disais, regardant toutes ces femmes les bras chargés de « bébelles », combien j'avais été privilégié aujourd'hui d'avoir pu aider Jos...

Une joie, une paix qui ne se vendaient pas dans les magasins...

Pas de place

C'était l'avant-veille de Noël.

Il faisait beau, c'était au soir tombé.

Une douce neige se déposait lentement en gros flocons bien réguliers, bien tassés. Il faisait beau.

Les rues de Victoriaville étaient toutes illuminées, les vitrines des magasins, l'esprit de la fête.

C'aurait pu être une soirée bien romantique, promenade au clair de lune, sous la neige, musique de circonstance.

La réalité était toute autre.

Nous étions en « pick up » tous les trois : l'abbé Roy, la p'tite dame et moi. Elle pleurait doucement, par sanglots étouffés.

Nous étions à l'étroit dans le petit camion, et je sentais son épaule contre la mienne, secouée par le découragement.

C'était l'avant-veille de Noël.

Elle était encore jeune, la dame, six enfants. Le divorce traînait en cour depuis deux mois. Le mari étirait cela à dessein, semble-t-il, histoire de lui faire passer Noël « sur la corde à linge », comme elle me disait.

Une histoire pas très drôle, une histoire de brutalité où la victime, lasse des scènes et des coups, avait résolu de quitter la place en emportant le minimum.

Elle cherchait un logement pour elle et ses trois enfants, les plus jeunes dont la cour lui avait confié la garde.

La veille de cette soirée, nous avions réussi à trouver un logement. Elle était toute fière, toute rayonnante. L'espérance renaissait, elle aurait un chez soi pour Noël, et les enfants pourraient être auprès d'elle. Elle s'inquiétait beaucoup pour le Noël des enfants.

Le logement à louer était, en fait, une sous-location. C'était une aubaine inespérée, « tombée du ciel » : un locataire qui doit quitter la ville, un logement adéquat, un prix convenable.

Comme elle était heureuse quand elle m'avait téléphoné, le matin ! : « Enfin, disait-elle, mes troubles sont finis ».

C'était l'avant-veille de Noël.

Elle devait, avec un papier de la cour, aller chercher ses affaires au domicile de son mari. J'avais demandé à l'abbé Roy de venir avec nous, j'avais peur de me faire casser la figure par le bonhomme... à deux je me sentais plus rassuré.

Le bonhomme nous mit à la porte en moins de rien, nous traitant des pires noms. On eut envie de lui sauter dessus...

On s'est retrouvé dans notre camionnette : l'abbé Roy, la p'tite dame et moi, un peu débinnés.

Quant au fameux loyer, il n'était plus libre tout-à-coup. En effet le propriétaire, apprenant que son locataire voulait sous-louer à une femme seule avec des enfants, avait carrément refusé.

Il ne voulait pas entendre parler d'enfants dans son loyer, encore moins une divorcée, encore bien moins une assistée sociale.

C'était l'avant-veille de Noël.

Un beau soir enneigé, un air de fête dans les rues, des visages gais sur les trottoirs, des chansons de Noël aux carrefours.

C'était l'avant-veille de Noël.

À l'étroit dans la petite camionnette, nous parcourions les rues à la recherche d'un logement. On lorgnait les fenêtres, espérant trouver une pancarte «logement à louer ».

C'était l'avant-veille de Noël.

Il neigeait maintenant beaucoup, le vent se mettait de la partie. La musique au coin des rues s'était tue, les trottoirs étaient maintenant désertés.

Dans le camion, la petite dame était découragée. « Y a pas de place pour moi icitte en ville, personne ne veut d'une femme avec des enfants. Qu'est-ce-qu'on va devenir ? », réussissait-elle à dire, répétant sans cesse le même refrain, comme une triste mélopée.

C'était l'avant-veille de Noël.

Maintenant c'était la tempête. Les essuie-glaces du camion fonctionnaient à plein régime. Dehors, c'était devenu moins romantique, moins gai, comme si la nature s'était soudainement mise en colère, irritée de la conduite égoïste et dure des hommes.

C'était l'avant-veille de Noël.

En scrutant par la fenêtre ouverte, cherchant les pancartes « à louer », les yeux embués de neige, je pensais comme malgré moi à cet autre Noël, le premier Noël, il y a près de 2000 ans.

Une autre femme cherchait un loyer, et des portes se refermaient sur elle...

C'était l'avant-veille de Noël, à Victoriaville, et dans une petite camionnette blanche, nous étions trois à la recherche d'un loyer.

Tard dans la nuit, étendu sur ma paillasse, cherchant à m'accrocher à un sommeil qui ne voulait pas de moi, je pensais encore, comme malgré moi, à cet autre Noël...

C'était maintenant la veille de Noël.

La dernière espérance

Le vieux prophète l'avait prédit, il y a des milliers d'années : « Quand il viendra, Lui, le loup habitera avec l'agneau, la panthère se couchera près du chevreuil, la vache et l'ours se lieront d'amitié. Le bébé s'amusera près du trou du serpent, l'enfant mettra la main sur le repaire de la vipère. On ne fera plus de mal ni d'exploitation sur toute la terre, car le monde sera rempli de la connaissance de Dieu. » (Is 11, 6-9).

Et Il est venu... mais les hommes n'en ont pas voulu parce qu'Il annonçait l'amour sans limite, le partage sans calcul, le don de soi sans compter, la fraternité. Et cela, les hommes ne sont pas tous prêts à le vivre à tout prix. Au fond, c'est une sorte de folie.

Et pourtant, à chaque année, par toute cette terre déchirée de violence de toutes sortes, défigurée par des haînes tenaces, il renaît une espérance, une toute petite espérance de rien du tout qui bouleverse la routine du quotidien.

Une toute petite espérance d'amour qui s'efforce de régner une seule journée au moins, et que 364 jours d'égoïsme chaque année n'ont pu réussir à étouffer depuis deux mille ans.

Malgré sa caricature commerciale, malgré qu'il soit défiguré par le masque de la publicité, Noël demeure un des derniers signes d'espérance que les hommes ont eu la prudence et la pudeur de respecter.

À Noël, le soldat range son fusil et fait la trêve ; à Noël, le riche pense au pauvre ; à Noël, l'étranger est accueilli.

À Noël, les hommes ne se reconnaissent plus : l'avaricieux se montre généreux, les frères ennemis se réconcilient. On dirait presque qu'on ne peut rien refuser à Noël. On dirait qu'on est prêt à tout.

Il y a comme un vent de folie qui souffle à Noël, un Esprit Nouveau qui revient hanter les consciences, même les plus endurcies dans l'égoïsme.

Et quand on voit ainsi le cœur des hommes s'ouvrir, ne serait-ce qu'une seule petite journée, on se remet à espérer en la bonté des hommes. Tout n'est pas complètement perdu.

Certes Noël ne peut racheter en l'espace de quelques heures des mois de haîne, d'incompréhension, d'injustice et de jalousie. Mais c'est un signe que tout peut être possible, si les hommes acceptent de redevenir comme des petits enfants, ouverts et accueillants, laissant s'exprimer le meilleur d'eux-mêmes.

« C'est pas coutume, comme disait mon voisin, mais à Noël on peut bien se permettre quelques folies »... comme être bon et généreux par exemple.

Mais si cela est encore possible une fois dans l'année, le jour de Noël, pourquoi ne serait-ce pas possible au cours de toute l'année ? Ce qui se réalise un jour, ne peut-il pas se réaliser d'autres jours ?

On fête une naissance à Noël. Au fond, la véritable naissance à fêter, ce devrait être la nôtre, une naissance à quelque chose de meilleur dans notre vie, une nouvelle vie.

Mais hélas, le plus souvent, le lendemain c'est déjà fini. La raison reprend le dessus et étouffe notre cœur.

Mais malgré tout, malgré qu'il soit encore sans lendemain, Noël doit être fêté, ne serait-ce que pour ce qu'il représente : une dernière espérance, l'espérance que l'amour et la générosité entre les hommes sont encore possibles.

Les hommes ont encore besoin de Noël pour se convaincre qu'ils ne sont pas si méchants, qu'il y a au fond d'eux-mêmes un restant de bonté et de générosité qui leur permet d'espérer en des jours meilleurs. Pour cette raison, il faut célébrer Noël.

Si Noël n'existait pas, il faudrait l'inventer, parce que sans espérance, même une espérance défigurée et récupérée par la cupidité commerciale, les hommes ne pourraient plus vivre.

C'est vrai, Noël c'est un vent de folie.

Y a-t-il de quoi de plus fou, comme le dit le prophète Isaïe, qu'un loup qui habite avec un agneau, qu'un bébé qui s'amuse sans crainte près du trou du serpent ? Cela confond notre raison humaine.

Et pourtant, d'une certaine façon, c'est un peu ce qui se passe chez les hommes, le soir de Noël.

Nous avons besoin de croire en Noël, parce que nous avons besoin d'espérance.

Et il reste justement à espérer que les hommes ne réussiront pas quand même à étouffer Noël sous les convoitises, et que toujours des hommes se lèveront pour faire revivre, ne fut-ce que l'espace d'une journée, l'Esprit d'amour et de fraternité qui s'y accroche comme à une planche de salut.

Il en va de notre dernière espérance !

Regards

Le temps est accompli

On écoute parler le monde, je te jase, tu me jases, on se jase des problèmes de la terre, de la shop, de la famille. On lit certains journaux qui parlent des vrais problèmes, pas ceux qui parlent rien que des accidents de fin de semaine. On regarde certaines émissions sérieuses à la télévision qui abordent franchement les véritables enjeux que vit présentement notre société. Et puis finalement, on se regarde soi-même : qu'est-ce que je cherche dans la vie, moi ? De l'argent, réussir, avoir de l'avancement, m'acheter des bébelles, changer de « char » ?

Puis là, si tu es un homme avec un cœur, des sentiments, une conscience, pas un robot formé par la publicité du « tout le monde le fait, fais-le donc », tu arrives à un moment donné devant l'inévitable question : où est-ce que ça mène tout ça ? Où est-ce que ça mène toute cette recherche de biens matériels ? L'inflation, l'exploitation, le chacun-pour-soi, le bien-paraître, le bluff social du gars-qui-a-réussi-regardez-ma-maison, ça me donne quoi au bout du compte ? Puis ça donne quoi à ma société, à la société que je prépare à mes enfants.

Des fois, ça te choque que quelqu'un te pose des vraies questions sur ce que tu as fait de ta vie jusqu'à maintenant ? Ça t'agace qu'un gars te demande : « C'est quoi tu cherches dans la vie ? » Ça t'agace, d'accord, puis tu résistes quand il te montre que notre société se détériore de plus en plus parce qu'elle est érigée sur l'exploitation de l'homme par l'homme. Tu rejettes ses chiffres sur la pauvreté, en disant que les statistiques ça veut rien dire, en lui disant que les pauvres, les chômeurs, les jeunes désoeuvrés, ça veut rien faire de bon, que c'est tous des paresseux - pis - que - si - y - travaillaient - dur - comme - toé - à - shop - ça - irait - mieux.

Tu te sens appelé à faire plus et mieux que de finir ton sous-sol, t'acheter un nouvel habit, payer quatre piastres pour aller écouter chanter en « bleu » Roger Whittaker. Mais tu résistes à l'appel du changement de vie, du changement social. Changer de « char », changer le tapis du salon, changer de meubles-pour-faire-changement, ça tu peux pas résister à ça. Mais quand quelqu'un te dit que pour que notre société s'améliore, faudrait qu'on change de vie, qu'on change de cœur, alors là t'as peur du changement.

Tu résistes comme tu peux. Si tu profites largement de la façon dont notre société fonctionne, tu es contre le changement parce que ça pourrait t'en enlever pour en donner à ceux qui en ont moins. Puis ceux qui parlent de changement, tu dis qu'ils sont des révolutionnaires-qui-veulent-changer-pour-changer, des « communisses » comme disait Duplessis, des agitateurs.

Si tu es plus catholique que le Pape, tu résistes au changement en disant qu'il faut respecter tout le monde, et qu'il faut surtout prier pour l'Unité.

Si tu es évolué puis qu'avec l'instruction que tu as tu peux te permettre d'être politisé comme ils disent, alors là tu parles de changement. Toi pis ta femme, ça fait deux bons salaires, deux automobiles, pas plus que deux petits, deux télévisions, deux comptes en banque. Tu parles de changement, c'est à la mode, ça fait bien. Tu voudrais que le gouvernement change, que le Québec nous appartienne, mais tu ne changes rien à ta vie, tu ne veux rien perdre des avantages que tu retires de la société. Tu votes péquiste, mais ton cœur est capitaliste.

Changer le cœur

D'accord tu résistes, mais ça t'agace, ça te tiraille. Quand tu regardes bien le milieu dans lequel tu travailles, ou dans lequel tu vis la plupart de ton temps, tu te rends compte qu'il y a des valeurs spirituelles comme le partage, le service des autres, l'accueil, que tu ne peux pas vivre avec le genre de travail que tu fais, avec le genre de vie que tu mènes.

Je ne sais pas, mais tu lis peut-être l'Évangile de Jésus-Christ ; peut-être il y a des phrases qui te font mal. Tu as mis tout ton cœur à vivre ce que la société t'a enseigné depuis que t'es tout petit, puis quand tu regardes bien, tu t'aperçois que ça ne cadre pas avec ce que Jésus-Christ a demandé de vivre, si on ne voulait pas se ramasser dans le chaos.

Jésus-Christ disait qu'on ne pouvait servir deux maîtres, Dieu, c'est-à-dire l'amour, et l'argent, mais toi t'as essayé de faire les deux, pis ton curé a jamais trouvé à redire. La révolution commence par le cœur.

Quo vadis ?

Ça se passait à l'époque de la Rome impériale, aux premiers temps de notre ère, Néron, personnage de sinistre réputation et de triste mémoire, gouvernait alors l'empire romain dans le laisser-aller, la corruption, la terreur, dans le faste décadent de plaisirs artificiels et nauséabonds.

Dans cette Rome commerciale et politique des intrigues de cour et de la dégénérescence morale, un groupe de citoyens se situait radicalement à part. Rejetant le matérialisme d'une société opulente mais sans âme, ce groupe vivait réellement en marge de la société : les premiers chrétiens.

Le message sprirituel et les valeurs morales véhiculées par ce groupe de citoyens les rendaient suspects aux yeux de l'État justement par la distance qu'ils prenaient vis-à-vis celui-ci.

Accusés d'anarchie et d'incitation au désordre social parce que beaucoup de ses adhérents provenaient non seulement du petit peuple opprimé mais aussi de hauts fonctionnaires et de militaires en vue, écœurés d'une vie vide de sens et prostituée à l'argent, au pouvoir et au confort au mépris de l'humain, ce groupe de chrétiens sous le leadership de l'apôtre Pierre était harcelé par la police, dénoncé, torturé, assassiné.

C'est dans ce contexte que se situe la légende chrétienne qui rapporte l'expérience de l'apôtre Pierre. Quo vadis ? Où vas-tu ?, c'est en ces termes que l'apôtre Pierre se vit apostrophé par son Seigneur au moment où, las, découragé et apeuré par toutes ces persécutions dont lui et les siens étaient victimes, il s'apprêtait à déserter cette ville toute puissante qui avait érigé la corruption en mode de vie et dénonçait le bien.

Où vas-tu ?

Au moment où l'Église catholique invite ses adhérents à une Semaine Sainte, c'est-à-dire à se souvenir du chemin suivi par Celui dont les chrétiens se réclament les fidèles disciples, n'est-ce pas cette même question qui est adressée, non seulement à chaque chrétien, mais aussi à

70

tout québécois de bonne volonté, croyant ou pas, pratiquant ou pas : « Quo vadis ? Où vas-tu ? ».

Si l'essentiel de la démarche chrétienne consiste, selon l'invitation du Christ, à « bâtir le Royaume de Dieu », cette foi n'a rien de profondément humain et ses adhérents se maquillent en anges si la construction de ce « Royaume de justice et de paix » ne commence dès maintenant dans cet effort que nous avons à faire tous tant que nous sommes pour aménager concrètement et dans les faits, dès aujourd'hui, une société où l'homme n'est plus un loup pour l'homme.

Acclamer Jésus-Christ comme le Sauveur et lui faire la fête à la façon que nous rappelle l'épisode triomphant du dimanche des Rameaux et aussi à la façon que nous avons connue dans le Québec religieux d'antan, c'est une chose ; mais poursuivre la démarche et prendre le chemin de la croix à la suite de Celui qui n'a pas transigé au chapitre de la Vérité et payer le prix de sa volonté de justice et de paix, c'est une autre chose.

Au moment où la récession économique nous atteint rudement : inflation, fermeture d'usine, baisse de production et baisse de salaire, mises à pied, chômage ; au moment où l'immoralité publique dans le domaine politique vient briser notre confiance et nous donner mauvaise bouche ; au moment où nous réalisons de plus en plus que les promesses de la société de consommation — confort, richesse, puissance, biens matériels — sont un écran de fumée pour nous ravir notre âme et faire taire ce qu'il y a de meilleur en nous ; au moment où commence de craquer un système de valeurs auquel nous avons fait crédit... la tentation est grande de lever le nez et de laisser à d'autres la tâche de risquer leur peau pour le réaménagement de notre vie en société.

La tentation est grande de s'estimer trop petit et impuissant pour faire quelque chose. La tentation est grande de laisser parler la peur et l'égoïsme pour déserter le chemin de la croix. La tentation est grande de se refermer sur ses petites possessions chèrement acquises, de s'enfermer dans sa famille, son réseau d'amis, sa religion, et laisser passer la tempête.

C'est alors que peut nous être posée la question : « Quo vadis ? Où vas-tu ? ».

Un petit homme grand

Il s'appelle Fragoso, Antonio Fragoso ; il est brésilien. Il est petit, il semble fragile, vulnérable ; il respire la douceur, la bienveillance, la paix. Mais sa voix est terrible, sa pensée radicale, sa lucidité face à la situation de son pays, le Brésil, est déconcertante.

Dom Antonio Fragoso est évêque de l'Église catholique dans le diocèse de Crateus, au Brésil. Il est présentement en tournée au Québec du 17 au 26 février. Il est invité par l'organisme Développement et paix dans le cadre du carême de partage.

Dom Antonio Fragoso était à Trois-Rivières, samedi dernier. Il est venu parler au Centre de loisirs de la paroisse Sainte-Marguerite, une des paroisses défavorisées de Trois-Rivières.

Dans une petite salle surchauffée, nous étions quelques-uns à l'écouter, à le questionner, à dialoguer avec lui. Je me disais en moi-même : « Quelle différence entre cette assemblée et les assemblées politiques ; on parlait de choses graves, la justice, la répression, le changement des mentalités, mais le ton était calme et sérieux, c'est le ton de ceux qui savent de quoi ils parlent et qui n'ont pas besoin d'artifices oratoires pour convaincre leur auditoire. »

Conscientisation

Le diocèse de Mgr Fragoso est situé au nord du Brésil, dans la province où la sécheresse est la plus grande et où le sous-développement se fait le plus cruellement sentir. Pour une superficie de 8,000 milles carrés, on compte 350,000 habitants.

Depuis sa nomination en 1964, Dom Fragoso s'emploie à transformer les paysans pauvres et esclaves en hommes instruits et responsables, capables de diriger eux-mêmes leurs affaires. Il s'efforce de rendre son peuple conscient de la nécessité de rompre avec la domination.

Depuis 1964, le Brésil est gouverné par une dictature militaire. Une répression continuelle s'exerce contre les paysans et les travailleurs, et contre ceux qui s'efforcent de les conscientiser. Dans les prisons brésiliennes, des prêtres, des étudiants, des travailleurs, des professeurs, sont torturés pour leurs activités de libération, que l'armée considère comme des activités de subversion.

Au niveau international, plusieurs pays, plusieurs organismes ont dénoncé la torture au Brésil, mais rien ne semble avoir changé. Une petite minorité domine une majorité, appuyée par la force de l'armée et de la police, dont les principaux officiers ont été entraînés à l'école anti-guérilla de Panama, financée et dirigée par les Américains.

« Mais si vous parlez ouvertement de justice et de liberté, si vous parlez ouvertement de conscientiser les paysans, comment vous situez-vous par rapport à un gouvernement répressif ? », lui demande quelqu'un de l'assemblée.

«On ne peut parler impunément de justice et d'égalité pour tous dans mon pays, sans qu'on ait à en payer le prix tôt ou tard. Plusieurs de mes prêtres ont été arrêtés, interrogés par la police, certains ont été torturés même. Moi aussi, j'ai déjà été arrêté par la police. Il y a un prix à payer dans la lutte pour la justice, c'est sa propre tête», répond Mgr Fragoso sur un ton paisible, d'une voix assurée, le regard pétillant.

Justice ou charité

On lui a demandé ce qu'il pensait de l'aide des pays riches aux pays pauvres :

«Je suis pris, dit Fragoso, entre mes principes et les nécessités de l'action. Je suis contre l'aide des pays riches aux pays pauvres. Parce que nous sommes aidés, parce que nous recevons de l'argent, des techniciens, des éducateurs, des prêtres, nous retardons le moment où nous serons capables de nous délivrer nous-mêmes. Nous sommes doublement aliénés. Une première fois par la misère, une deuxième fois par la néo-colonisation de la charité».

Dans la bouche d'un évêque, ces paroles ont une saveur prophétique qui attirent des ennuis comme des appuis. Mais la vérité n'est jamais populaire et il y a des gens qui ont tout intérêt à ce qu'on n'attire pas l'attention des gens sur des réalités, sur des problèmes engendrés par un régime dont ils sont les premiers favorisés.

Paraboles

Une âme habituée*

« Il y a quelque chose de pire que d'avoir une mauvaise âme, c'est d'avoir une âme habituée. »

Personne ne veut ou ne voudrait avoir une mauvaise âme... Personne ne voudrait qu'on lui dise — « tu as une mauvaise âme. »

Ce serait effrayant ; ce serait le commencement de la non-tranquillité, de l'angoisse, peut-être de la haine de soi-même.

Mais il y a pire... « Avoir une âme habituée ».

Avoir une âme habituée, c'est déjà être vieux... à 20 ans peut-être. « Avoir une âme habituée », c'est ne plus réagir, ne plus « grouiller », ne plus trouver en soi la possibilité, le courage de se battre.

Avoir une âme habituée, c'est accepter, acquiescer et se conformer aux conditionnements d'une vie, d'une mentalité, d'une société qui vise à « habituer les âmes ».

— Les habituer à prendre leur rang dans les files d'attente devant les « guichets de la loto ».

— Les habituer à rire devant les tragédies provoquées par certaines mesures dites « sociales ».

— Les habituer à « voter » pour le plus bel homme, ou encore pour le « sauveur » enchaîné aux exigences et aux

---

* D'après une idée originale de Raymond Roy.

servitudes d'un parti ou d'une idéologie payante.

— Les habituer à ne rien dire, rien penser devant l'annonce de la « Cherry Blossom », mais avoir seulement le désir de l'acheter et de ne pas la partager.

— Les habituer à ne rien analyser, ne rien additionner, ne rien diviser, ne pas faire de « règles de trois », mais payer seulement, humblement, en empruntant s'il le faut.

— Les habituer à considérer comme « normales » des situations « anormales ».

— Les habituer à considérer que les « blancs » ont tous les droits et que les « noirs » n'en ont aucun.

— Les habituer à « voyager maintenant et à payer plus tard ».

— Et surtout les habituer à avoir besoin de plus, autour de soi, au-dessus de soi, en arrière de soi, mais non en soi.

Avoir une âme habituée… C'est pire que d'avoir une mauvaise âme.

C'était moi

Il était une fois, il y a très longtemps, un Roi qui revint dans son pays après un long séjour à l'extérieur. Pendant plusieurs années il avait laissé l'administration de son royaume à ses sujets.

Alors il réunit tous ses sujets, plaçant tous ceux qui avaient exercé le pouvoir à sa droite, et tous les travailleurs, les pauvres, les petites gens à sa gauche.

À ceux de gauche, les gens simples, il leur remit son royaume, car, leur dit-il : « J'ai eu faim et vous m'avez donné à manger, j'ai eu soif et vous m'avez donné à boire, j'étais un étranger et vous m'avez accueilli, j'étais sans vêtement et vous m'avez vêtu, malade et vous m'avez visité, prisonnier et vous êtes venu me réconforter ».

Alors les gens simples, les justes, étonnés lui dirent : « Mais, maître, quand donc t'avons-nous vu affamé et t'avons-nous accueilli, quand donc t'avons-nous donné des vêtements, quand t'avons-nous vu malade ou prisonnier et t'avons-nous réconforté ? »

Et le Roi leur fit cette réponse : « En vérité, chaque fois que vous avez donné à manger ou à boire à un plus pauvre que vous, chaque fois que vous avez aidé quelqu'un de mal pris, C'ÉTAIT MOI que vous aidiez et réconfortiez ».

Puis le Roi se tourna vers ceux à sa droite, ceux qui avaient exercé le pouvoir, les bien-nantis, les personnages puissants et leur dit : « Quittez mon royaume, égoïstes, vous avez profité de vos pouvoirs pour vous engraisser à même les pauvres, vous êtes indignes ».

« Car j'ai eu faim et soif, et vous ne m'avez pas donné à manger et à boire, chaque fois que vous montiez vos prix pour augmenter vos profits ; j'étais un étranger et vous ne m'avez pas accueilli disant que j'étais un voyou et un paresseux ; j'étais malade et prisonnier et vous ne m'avez pas visité et réconforté, prétextant, que d'autres étaient payés pour s'occuper de moi ».

Alors ces puissants personnages, craints et respectés par le peuple pendant l'absence du Roi, proposés en exemple pour leur réussite matérielle et leur aisance, lui répondirent scandalisés : « Mais, maître, quand donc t'avons-nous vu avoir faim et soif, sans te donner de quoi à manger ou à boire, quand donc t'avons-nous vu sans vêtement, quand donc t'avons-nous vu malade ou prisonnier sans te visiter et te réconforter ? »

Et le Roi leur fit cette réponse : « Chaque fois que vous avez calculé que je méritais ma pauvreté et que vous avez refusé la nourriture à chacun de ces assistés sociaux, chaque fois que vous n'avez pas donné de revenus suffisants pour que les pauvres puissent acheter leur nourriture, C'ÉTAIT MOI que vous priviez pour vous enrichir. Chaque fois que vous avez refusé d'héberger un étranger, C'ÉTAIT MOI que vous mettiez à la porte. Chaque fois que vous avez détourné la tête pour ne pas voir la misère. C'ÉTAIT DE MOI que vous détourniez votre regard. Chaque fois que vous refusiez de partager, C'ÉTAIT AVEC MOI que vous refusiez de partager vos biens. »

Et il les répudia loin de sa paix et de son amour. Et il réalisait ainsi ce qu'il avait promis :

> « Il déploiera la force de son bras
> pour répudier les hommes au cœur
> orgueilleux, arrogant et suffisant.
> Il renversera les puissants du piédestal
> qu'ils se sont érigés et il élèvera
> les humbles et les petits.
> Il rassasiera de biens les affamés
> et renverra les riches les mains vides ».
> (Luc 1, 51-53).

Il était une fois...

Il était une fois dans la société nord-américaine une divinité qui régnait incontestablement sur toutes les consciences et tous les cœurs, et à laquelle des millions de fidèles se sacrifiaient avec confiance et passion. Ils lui étaient soumis aveuglément, soucieux de répondre avec foi aux commandements religieux :

— Chez Dominion, tu achèteras sans faute, quotidiennement

— Chez Household Finance tu emprunteras avec confiance fréquemment

— D'une TV couleur, tu te gréeras pour imiter ton voisin bêtement.

Tous les fidèles consommateurs n'avaient qu'un seul cœur, une seule foi, un seul cantique : « Tout le monde le fait, fais-le donc ».

Cette divinité s'appelait LA CONSOMMATION. Elle enseignait le salut par l'achat et l'acquisition des biens. Elle recommandait le respect du prochain dans la mesure où ce dernier pouvait constituer une source de profit.

Cette divinité avait ses grands-prêtres, les capitalistes, ses docteurs de la loi, les publicistes, et bien sûr tous ses fidèles adorateurs par millions.

Il est né...

C'est à la fin de la dernière guerre que cette nouvelle religion est née de l'accouplement production industrielle et profit à tout prix, par l'opération du saint esprit capitaliste. La guerre avait en effet développé le rythme de la production industrielle. Après la guerre il fallait trouver un moyen de continuer d'assouvir l'appétit des industriels. On se mit à produire les biens de consommation.

Première étape de saturation, les années 1955 ; la plupart des biens de consommation de première nécessité sont acquis par une forte proportion de consommateurs : meubles, articles ménagers, automobile, téléphone, nourriture, etc... La production n'inventera rien de bien nouveau par la suite, sauf les tranquilisants et la télé couleur.

Deuxième étape, il s'agit de faire comprendre au fidèle consommateur qu'il lui faut posséder en double tous ces biens, sous peine d'être un hérétique. On fait sa religion ou on ne la fait pas, quand on est croyant...

Troisième étape, le plafonnement. Les consommateurs ont tout ce qu'il leur faut, même en double. Qu'à cela ne tienne, on va jouer sur les formes et les couleurs. Que d'articles ménagers deviennent tout d'un coup démodés ! Il faut de la couleur, du kleenex au réfrigérateur. On offre même des grille-pains-à-9-degrés-de-brunissage-différents. C'est fantastique.

Le salut par le c...

Les consommateurs n'en peuvent plus. C'est trop exigeant, on reste des humains... La déesse Consommation envoie son fils, le Crédit, sauver les consommateurs. Alors de vice qu'il était en 1950, le gaspillage devient une vertu, un devoir religieux, un engagement social, voire même un acte de foi inconditionnel.

On assiste aussi à la naissance de quelques autres inventions extraordinaires : la mode mini, puis maxi, enfin midi ; les cigarettes, extra-longues, extra-courtes, trois-quarts...

La divinité Consommation avait aussi son *Patron des causes désespérées* : la finance ; son PATRON des objets perdus : la saisie.

Il y avait aussi un culte quotidien : on faisait brûler des mini-lampions, des inter-lampions, des super-lampions, des lampions olympiques pour les dévots, et pour finir, des lampions-perfecta, pour les saints.

Pour inciter les fidèles à consommer encore avec plus de ferveur, la Consommation inventa l'économie. Pour réaliser des économies, il fallait acheter. Plus tu achetais, plus t'économisais.

C'était devenu pas mal fervent. On chantait en chœur « rendez nos dettes semblables aux vôtres ».

Comme religion, la Consommation, c'était moderne. Du prêt-à-porter qui devenait rapidement du prêt-à-jeter. C'était devenu moins coûteux de jeter que de réparer les fautes. Les fidèles acceptaient tout avec confiance pourvu qu'on leur laisse la béatitude incommensurable d'acheter et d'acheter...

Et lorsqu'à 54 ans, le fidèle consommateur mourait d'une crise cardiaque, claquait une dépression nerveuse, après s'être donné sans répit ni pour lui, ni pour les siens, pour le service et la gloire de la déesse Consommation, il rendait le souffle dans un cri qui venait alors vraiment du cœur : TOUT EST CONSOMMÉ, JE REMETS MON ARGENT ENTRE TES MAINS.

AMÈNE...

Histoire d'eau

Il était une fois un pays où les gens manquaient d'eau. C'est que l'approvisionnement d'eau n'était pas organisé. Pour le peuple, la situation était grave.

Et dans ce pays, il y avait cependant quelques personnes, plus chanceuses, qui n'en manquaient pas ; au contraire elles en avaient beaucoup, plus que ce qu'elles en avaient besoin. Ce groupe de personnes s'appelait la Société d'Abondance illimitée.

Les gens demandaient de l'eau parce qu'ils avaient soif. Ils allèrent voir la Société d'Abondance et lui demandèrent de leur donner de l'eau. La Société d'Abondance répondit au peuple : « Donner, donner, c'est de beaucoup simplifier le problème, un problème aussi complexe. Si nous vous donnons de l'eau, toute notre économie en sera affectée. Mais nous voulons vous aider, nous allons y penser sérieusement. Si vous voulez devenir nos serviteurs dévoués, vous aurez de l'eau. » Et il en fut ainsi.

Le marché

La Société d'Abondance, composée d'hommes intelligents et sages, organisa le marché de l'eau. Il y eut des contremaîtres, des chercheurs d'eau, des porteurs d'eau. Le travail devait devenir une immense chaîne. On prévoyait apporter toutes les ressources d'eau à un endroit central. La Société s'engageait à construire à ses frais un énorme réservoir d'eau, appelé «le marché».

La Société d'Abondance illimitée dit alors au peuple : « Nous vous donnerons un sou pour chaque seau d'eau apporté au réservoir. Et quand vous aurez besoin d'eau, vous pourrez alors venir au réservoir et en acheter au prix de deux sous le seau. La différence bien entendu est notre profit, sinon quel intérêt aurions-nous à nous dévouer pour vous, notre système s'écroulerait et vous n'auriez plus d'eau ».

Certains trouvèrent cela raisonnable, d'autres ne savaient quoi penser, préférant faire confiance. Comme le peuple n'avait pas de pouvoir, il accepta. Et c'est ainsi que pendant longtemps le peuple apporta diligemment de l'eau au réservoir, recevant un sou pour chaque seau, déboursant deux sous pour chaque seau demandé.

Cela dura un certain temps. Certains s'enrichirent dans l'affaire : en effet, certains étaient plus forts et pouvaient porter deux seaux, ils faisaient plus de sous et s'achetaient une brouette qui transportait cinq seaux ; il y eut aussi des intermédiaires qui organisaient le trafic de l'eau etc...

Un jour, le réservoir d'eau, appelé le marché, se trouva entièrement plein. Les promoteurs de la Société d'Abondance étant peu nombreux, ils ne consommaient pas assez, même s'ils gaspillaient l'eau. Quant au peuple il ne pouvait racheter que la moitié de l'eau apportée au réservoir, parce qu'il ne recevait pas assez pour chaque seau apporté.

La crise

La Société d'Abondance prit un air grave et dit au peuple : « Vous ne pourrez plus apporter d'eau au réservoir tant que le niveau n'aura pas baissé ; mais soyez patients, les temps sont durs, la moitié d'entre vous ne pourra plus travailler. Ne vous alarmez pas inutilement, la situation est temporaire, une affaire de saison des pluies ».

Et le peuple inquiet se demandait : « Comment pourrons-nous maintenant acheter de l'eau si nous ne travaillons pas, où prendre les sous ? » Et la Société d'Abondance répondait : « Devons-nous vous employer alors que le réservoir est plein, ça n'a pas de sens ? »

Et la soif commença de se faire sentir sérieusement. On ne pouvait plus trouver de l'eau nulle part. La Société d'Abondance possédait tous les puits, toutes les sources, toutes les rivières, tous les lacs, tous les seaux ; c'était à eux autres, ça s'appelait la propriété privée.

Il n'y avait plus qu'un seul endroit où le peuple pouvait se procurer de l'eau, c'était au réservoir. Il fallait respecter le marché.

Et le peuple se plaignait : « Regardez, le réservoir est tellement plein qu'il déborde et nous, nous devons mourir de soif ». Et la Société d'Abondance répondait : « Comprenez que nous ne pouvons vous la donner, tout notre système s'écroulerait ».

Mais y a-t-il vraiment trop d'eau dans le réservoir ? Comment le savoir ? Des bruits avaient déjà circulé antérieurement à savoir qu'il manquait d'eau et qu'il manquait de porteurs d'eau, le prix du seau d'eau avait alors monté d'un sou. Et voilà que maintenant on disait qu'il y avait trop d'eau. Quand il n'y en avait pas assez, l'eau coûtait plus cher, quand il y en avait trop, on congédiait les porteurs. Qui croire dans toute cette affaire ?

Discours

Et la Société d'Abondance fit de la publicité pour calmer le peuple : « Soyez patients, les temps sont durs ». Le peuple répondait : « Comment pouvons-nous acheter de l'eau quand il n'y a pas de travail ? » La Société d'Abondance répliquait irritée : « Devons-nous vous employer quand le réservoir est encore plein ? »

Mais en réalité, la Société d'Abondance commençait de s'inquiéter parce que le peuple ne pouvait acheter sans avoir de travail. Et les profits ne profitaient plus.

La Société d'Abondance consulta ses devins pour interpréter la situation. Ceux-ci étaient très rusés ; ils savaient répondre à tout sans se compromettre. Ils rassurèrent la Société d'Abondance.

« Ce n'est rien, dit un devin, c'est un phénomène tout à fait normal qu'on appelle la « surproduction ». Un autre disait : « C'est un manque de confiance dans la structure économique, c'est temporaire, tout devrait se rétablir. » Ils aimaient discuter ainsi pendant des heures.

Ces arguments calmèrent la Société d'Abondance qui eut la conscience tranquille. Fort satisfaite, la Société dit aux devins : « Merci de nous avoir réconforté. Allez donc et prêchez la bonne nouvelle au peuple inquiet ; réconfortez-le ».

Et les devins allèrent donc devant le peuple pour lui expliquer les complexités et les mystères de la surpoduction, pour lui dire comment il se faisait qu'il devait mourir de soif parce qu'il y avait trop d'eau ; comment il se faisait qu'il n'y en avait pas assez parce que déjà il y en avait trop.

Mais le peuple ne comprenait pas que l'abondance engendre la pauvreté.

Le peuple ne comprenait rien à tous ces arguments savants. Ce qu'il savait, le peuple, c'est qu'il avait très soif, et qu'il y avait dans le réservoir autant d'eau qu'il en avait besoin et que ça appartenait à la Société d'Abondance. Le mécontentement montait.

La Société d'Abondance prit peur et alla consulter les saints hommes, ceux à qui elle avait bâti de beaux temples. Les «Saints hommes» essayèrent de calmer le peuple en lui disant que c'était une épreuve envoyée par l'Être suprême pour la purification de leurs âmes. Ils disaient : «Vous devez supporter tout patiemment ; offrez votre peine, vous serez récompensés un jour car nous irons tous dans un pays appelé «ciel» où il y aura de l'eau en abondance».

Quand la Société d'Abondance vit que le peuple ne se calmait pas, elle posa un geste de grande humanité. La Société d'Abondance alla se tremper les mains dans le réservoir et laissa tomber des gouttes sur le peuple qui accourait. Quelques-unes atteignirent le peuple, on appelait ces gouttes «charité».

Milice

Mais cela ne suffisait pas à calmer le peuple qui voulait s'emparer du réservoir. Voyant cela, la Société d'Abondance alla chercher parmi le peuple les plus forts et les mieux entraînés à la violence : « Défendez-nous contre le peuple rebelle et il y aura de l'eau pour vous et vos enfants ».

Ainsi les hommes forts et bien armés travaillèrent pour la Société d'Abondance. Quand le peuple s'approchait du réservoir, la milice le repoussait, frappant, blessant, tuant même, s'il le fallait pour protéger la Société d'Abondance.

Pendant ce temps, les hommes sages de la Société d'Abondance inventèrent des solutions pour faire baisser le niveau de l'eau dans le réservoir. Pendant que le peuple mourait de soif, ils construisirent des fontaines, des aquariums pour les poissons d'eau douce, des piscines pour leurs plaisirs; ils utilisaient aussi abondamment l'eau pour arroser leurs terrasses.

Au peuple assoiffé, la Société d'Abondance disait : « C'est pour votre bien que nous faisons ces choses, nous faisons ainsi baisser le niveau de l'eau dans le réservoir, vous pourrez alors reprendre le travail ».

Crédit

Mais le peuple devenant de plus en plus en colère, la Société d'Abondance inventa une solution fort ingénieuse : le crédit. On prêtait un sou et le peuple devait remettre un demi sou pour chaque sou emprunté, lequel retournait de toutes façons à la Société d'Abondance puisqu'il servait à acheter l'eau de la Société.

C'est ainsi que le niveau de l'eau baissa. La Société d'Abondance proclama fièrement « la fin de la crise ». Le peuple fut employé de nouveau.

Les lois du système demeurèrent inchangées : un sou de salaire pour chaque seau apporté, deux sous pour chaque seau acheté. En plus maintenant, le peuple devait remettre tous les sous empruntés pendant la crise, plus l'intérêt. Ainsi plus le peuple travaillait, plus il s'endettait, plus il s'endettait, plus il travaillait, et plus il s'endettait et travaillait, plus la Société d'Abondance s'enrichissait.

Vous voulez savoir la fin de cette histoire, il n'y en a pas. Il n'y en a pas parce qu'un tel système n'a pas de fin............

Commentaires

Deux mondes

Quand on est attentif à scruter attentivement l'actualité, quand on gratte la couche de vernis qui donne un air de propreté à notre société, on voit se dessiner de plus en plus clairement le contour de deux mondes opposés.

D'un côté, le monde de la satisfaction, de la sécurité, de la réussite, de la suffisance, du refus de partage.

De l'autre, le monde de la misère et de la dépression, celui de l'humiliation et de l'insécurité.

Entre les deux, plusieurs balancent encore pour un certain temps, jusqu'au moment où ils ne pourront plus tenir.

Le monde de l'arrogance

D'un côté, il y a des hommes qui n'ont d'autre but que d'augmenter leur aisance personnelle ou les profits de leurs entreprises.

Ils ont le regard collé à leur fortune, leur prestige, leur pouvoir. Ils sont jaloux des privilèges qu'ils se sont accordés au fil des années.

La route de leur réussite fut sans histoire, florissante, et les étapes en furent savamment calculées. Les efforts qu'ils ont faits sans compter pour augmenter leurs standing de vie leur donnent bonne conscience face à la pauvreté de ceux qu'ils estiment en droit d'accuser de paresseux et d'exploiteurs.

Ils vivent dans un monde de luxe et de superflu. Leurs désirs et ambitions matérielles sont de plus en plus dispendieux. Leurs enfants sont comblés et se destinent généralement à la même réussite.

Ils trouvent refuge dans le confort, l'aisance, la sécurité de l'argent et des possessions matérielles. Ce sont eux qui régissent la société et ils s'estiment en droit d'être admirés pour leur réussite et proposés en exemple aux jeunes.

L'autre monde

De l'autre côté, le monde est différent. Il est fait de ceux que la vie a blessés, que le système a écrasés : vieillards abandonnés, handicapés physiques et mentaux, assistés sociaux, chômeurs, travailleurs à faible revenu, invalides, alcooliques, femmes séparées et divorcées ayant charge de famille.

Ce sont ceux qui ne savent jamais s'ils vont se rendre à leur fin de mois. Pauvres et sans prestige, ils vivent dans une société qui exalte la richesse, le confort et le prestige individuel. Mal-nantis, ils vivent dans une société qui les sollicitent à l'abondance sans leur permettre les moyens d'y avoir accès.

Ces deux mondes coexistent ensemble. Mais c'est la grande réussite du monde de l'aisance que d'avoir si longtemps réussi à convaincre le monde de la pauvreté qu'il était seul responsable de sa situation déprimante.

On a longtemps entretenu les pauvres dans l'illusion qu'ils avaient la même chance que les autres de réussir dans la vie, mais n'avaient pas su en profiter, alors qu'en vérité les cartes sont truquées.

On a toujours rendu les pauvres responsables de leurs problèmes. En les humiliant et les culpabilisant ainsi, on profite de leur docilité.

Mais

Mais de plus en plus, des hommes et des femmes de bonne volonté, délaissant leur confort, s'engagent au service des mal-nantis, partageant leur destin, ajustant le battement de leur cœur au rythme de leur détresse et de leur souffrance, acceptant de devenir à leur tour méprisés eux aussi.

Analysant notre société, ses politiques et son économie, ils réalisent que la misère des uns est voulue systématiquement pour le profit des autres, que l'appauvrissement est devenu, pour ceux qui mènent le monde, un rouage normal de notre civilisation.

Le monde de la misère commence à découvrir que la pauvreté est la conséquence directe d'une société dont le premier commandement est l'accroissement de la richesse et du bien-être de certains, au mépris de toute autre considération.

S'affronter ? partager ?

Le monde de l'opulence et celui de la misère ne peuvent que s'opposer. Chaque jour les événements se chargent de préciser les intérêts en jeu.

Tant que les arrogants continueront d'accuser les autres de paresse et de mauvaise volonté, ou ils éveilleront chez ceux-ci un désir irréversible de revanche, ou ils les inciteront encore plus à désespérer et à mourir sans savoir le pourquoi de ce mépris.

L'histoire contemporaine témoigne d'une réalité indubitable : les riches n'accepteront jamais de partager de leur plein gré, de restituer en justice ce qu'ils ont pris aux autres. Ils sont prêts aux pires tyrannies pour conserver leurs privilèges. Qu'on regarde les pays d'Amérique latine dominés par les militaires et les grands propriétaires : assassinats, tortures, emprisonnement massif.

Par contre, une cause juste d'un petit peuple exploité finira toujours par triompher d'une cause injuste d'un grand peuple : qu'on regarde le Vietnam, la Chine.

Violence ou tyrannie, ces deux issues ne peuvent qu'apporter de grands malheurs. Nous qui avons fait de si grands pas dans le domaine de la technologie, on n'a pas avancé dans le domaine du cœur, de la justice et du partage.

Le temps presse...

Les évêques et les assistés sociaux

Le cardinal Maurice Roy, archevêque de Québec, avait présenté au ministre des Affaires sociales, M. Claude Castonguay[1], un document sur la situation sociale précaire et insatisfaisante qui était faite aux assistés sociaux.

Ce dossier avait été préparé par les responsables de la pastorale sociale de l'Inter-Québec, qui regroupait les diocèses de Québec, Trois-Rivières, Chicoutimi, Nicolet et La Pocatière. Au début du printemps 1973, les évêques entreprenaient une recherche auprès des bénéficiaires d'Aide sociale eux-mêmes, auprès de personnes engagées dans les démarches de relèvement social, auprès de responsables de pastorale.

Ce sont les résultats de cette recherche qu'on retrouve

---

1. Ministre sous l'ancien gouvernement libéral.

dans le document présenté à M. Castonguay. Ce document contient quelques 33 recommandations discutées et adoptées lors d'un colloque regroupant des évêques, des agents de pastorale, des assistés sociaux et même des agents d'Aide sociale.

Il était temps

Les évêques, dans la tradition et la théologie de l'Église catholique, se présentent comme les disciples de Jésus-Christ, sucesseurs des apôtres. Or Jésus-Christ s'est clairement prononcé en faveur des pauvres et des opprimés, faisant de ceux-ci les privilégiés de son amour, de l'amour même de Dieu. Le but de sa présence active dans son milieu était la libération des opprimés. « L'Esprit du Seigneur m'a envoyé, disait-il pour annoncer la Bonne nouvelle aux pauvres, libérer les opprimés... »

Le moins qu'on puisse dire c'est qu'il était temps que ceux que jadis on appelait les Princes de l'Église et que Jésus appelait des serviteurs s'intéressent de près au sort que notre société réserve aux assistés sociaux.

De ce point de vue les évêques s'inscrivent vraiment comme des témoins de l'Évangile de Jésus-Christ, renouant avec l'essentiel du message de Jésus qui est un combat contre le mal et la souffrance, une présence prophétique là où la dignité de l'homme est brimée de façon organisée.

Dénoncer les préjugés

Le dossier présenté à M. Castonguay dénonce les préjugés massifs qu'entretient un fort pourcentage de la population à l'endroit des assistés sociaux. Un sondage sommaire effectué dans cette recherche a démontré que pour 90 pour cent de la population, la perception qu'on a des asssités sociaux est médiocre ou mauvaise.

Ceci, on le vérifie largement aussi à Victoriaville. Les préjugés que la population nourrit à l'égard des assistés sociaux sont solidement ancrés. «Ce sont des paresseux, des parasites, disent les gens.» On les rend responsables de leur situation de pauvreté, on les juge sommairement, on les accuse, on les déprécie, alors qu'on devrait les aimer doublement justement parce qu'ils sont pauvres et démunis.

On comprend mal qu'une population qui nourrit de si grossiers préjugés vis-à-vis les assistés sociaux pendant la semaine, puissent se présenter encore en aussi grand nombre dans les Églises, la conscience en paix, comme s'il n'y avait aucun problème à haïr les pauvres d'une part et d'autre part à se présenter comme chrétien, c'est-à-dire disciples de Celui qui a voué sa vie à l'amour des pauvres et dont l'Évangile ne cesse de réclamer l'amour du prochain.

«Ce que vous faites au plus petit d'entre les miens, disait-il, c'est à moi que vous le faites».

Les évêques prennent donc publiquement parti pour les assistés sociaux, dénonçant une situation intolérable: revenu nettement insuffisant, budget impossible, alimentation médiocre, sentiments de dépendance, de dévalorisation, d'humiliation et d'insécurité.

Mais il restera encore des gens pour dire qu'il n'y a plus de pauvres...

Rêves taxés

Loto-Québec existe depuis 1970. Depuis ce temps, des millions de billets ont été vendus à des millions de Québécois, pour la plupart des petites gens. Les ventes de Loto-Québec ont augmenté de 13.7 pour-cent encore en 1973. Des billets ont été vendus pour 97 millions de dollars, en 1973.

Comment s'expliquer que de plus en plus de Québécois achètent de plus en plus de billets chaque année, pourtant le coût de la vie n'a cessé d'augmenter. Le coût de la vie est devenu très élevé, mais on continue à trouver de l'argent pour acheter davantage de billets de loterie, à la grande satisfaction des dirigeants qui s'en frottent les mains de contentement dans leur rapport annuel. C'est grâce en grande partie à leur politique de «commercialisation agressive», comme ils disent.

Cela signifie des techniques publicitaires raffinées en exploitant le rêve des petites gens de régler tous leurs problèmes en gagnant le prix convoité, sacrifiant pour cela un petit $2. régulièrement.

C'est devenu une habitude

Les efforts de «commercialisation raffinée» et de «pénétration du marché» des dirigeants de Loto-Québec ont porté fruit. La mini-loto, grâce à une sollicitation publicitaire savamment étudiée, est entrée dans les habitudes d'achat des Québécois et fait de nouveaux adeptes chaque semaine. C'est ce que souligne le rapport annuel de Loto-Québec. Quant à l'Inter-Loto, elle est parvenue à un chiffre de 2 millions de ventes mensuelles. Mais là, les gars de Loto-Québec sont prudents : la pratique de commercialisation agressive doit être maniée avec un savant dosage, sinon elle risque d'amoindrir l'impact commercial. Ces messieurs utilisent alors la méthode des promotions spéciales.

« À cette occasion, disent-ils, l'effort de publicité et de promotion est considérablement augmenté, faisant valoir l'attrait de tous les prix supplémentaires. »

Quant à la Super-Loto, la technique est différente vu son prix. Les responsables de Loto-Québec sont d'avis que la rareté des billets de cette loterie stimule les ventes auprès du public.

Et Loto-Perfecta

La plus belle réussite, en 1973, de Loto-Québec, fut Loto-Perfecta. Même si les ventes ont augmenté de façon « gallopante », les responsables ont voulu l'implanter davantage dans les mœurs des Québécois en maintenant « le climat de confiance auprès de la population, la simplicité de participation et le plaisir du spectateur ».

Loto-Perfecta a permis la mise sur pieds d'un comité de promotion de la race chevaline et distribue des subventions en conséquence : $125,000 destiné à augmenter les bourses aux pouliches de 2 ans de propriété québécoise ; $120,000 attribué en bourses à toutes les classes de chevaux élevés au Québec ; aide *financière aux propriétaires québécois* de chevaux « Weanling » au rythme de $30 par mois et remboursement des frais de transport vers une ferme d'élevage située dans un climat moins rigoureux.

C'est fort

Quand les assistés sociaux ont de la difficulté à se faire payer un transport par ambulance à l'hôpital, même s'ils sont cardiaques avancés ou diabétiques au dernier degré, il est curieux de constater qu'avec l'argent des Québécois versé dans Loto-Perfecta, on subventionne les propriétaires de chevaux pour élever leurs chevaux québécois dans le Sud pendant l'hiver. Que voulez-vous, ils veulent préserver la race chevaline la pauvre. Quant à la race humaine qui croupit dans certains de nos taudis locaux, où en est son comité de promotion ?

Loto-Québec, ça paraît inoffensif : un 50 cents par semaine, un $2. à tous les vendredis du mois. Et puis, les gens sont libres d'en acheter s'ils le veulent.

On n'a qu'à parcourir le rapport annuel de Loto-Québec, et on se rend compte que si les ventes augmentent, c'est que les dirigeants prennent les moyens pour prendre le monde à son illusion de trouver le bonheur dans l'argent vite acquis et sans effort.

Les 2 millions de billets de Mini-Loto vendus chaque semaine en mars 1972 ont été achetés par des travailleurs, des chômeurs, des assistés sociaux. C'est une autre forme de taxe prélevée encore sur le dos des petits, mais cette fois avec le consentement béat de ces mêmes travailleurs.

Que voulez-vous, quand les grandes compagnies trouvent les moyens de s'exempter de l'impôt, il faut bien que le gouvernement taxe les petits. La réussite véritable de Loto-Québec, c'est de collecter une taxe de 37 millions avec le consentement des petites gens.

Satan

On le croyait mort et enterré, comme un pauvre diable, inhumé par les fossoyeurs de la société moderne, banni de la religion par les catéchètes de l'après-Concile. À part les bérets blancs, quelques créditistes de vieille souche, tout le monde le croyait disparu de la circulation pour longtemps, relégué aux enfers d'un vieux folklore de mauvais goût du genre « à souère on fait peur au monde ». Il était mort à petit feu, croyait-on, du moins, on n'en entendait plus parler.

Et puis voilà qu'il réapparaît. Qui ça, direz-vous ? Mais Satan, le Diable, Belzébuth, enfin appelez-le comme vous voulez.

Les journaux, la radio, la télévision commencent à nous en parler. C'est par le biais du cinéma américain que Satan a fait son apparition, une apparition qui se fait de plus en plus remarquer. Il y a eu le film de Polanski, « Un bébé pour Rosemary ». Intrigue bizarre, mystère, suspense, c'était le commencement d'une nouvelle ère : le retour de Satan.

Et puis il y a eu d'autres films sur le même sujet, comme « Les démons », et autres longs métrages noirs et de mauvais goût. Il s'agissait d'exploiter le goût du mystère, une certaine attirance pour la morbidité chez un public déjà blasé par les films de sexe.

The exorcist

C'était une petite mode passagère, croyait-on. Mais voilà qu'un nouveau film sur le sujet défraie maintenant la chronique internationale du monde du cinéma. Un film qui est en train de battre tous les records d'assistance et, évidemment, de recettes. Il est présentement à l'affiche à Montréal[1], et probablement qu'il viendra dans la région récolter nos sous.

Déjà, aux États-Unis, le monde cinématographique s'apprête à accorder à ce film, « The Exorcist », une série d'Oscars, récompense suprême de l'industrie du cinéma.

Spiritisme et occultisme

De même, provenant des États-Unis, tout un courant de spiritisme, de magie et mystère, d'occultisme, déferle chez nous. Ce sont les jeunes, pour la plupart, qui sont happés par ce courant. Les libraires mettent en vente des rééditions de livres bizarres, qui sentent le Moyen-Âge, l'époque des croyances ténébreuses.

---

1. En 1973.

Les cliniques psychiatriques sont envahies par une foule de «bozos» qui se croient hantés par le mal, possédés du démon. Tout cela fait mystère. Dieu n'était plus rentable, après Jésus-Christ Superstar, voilà qu'on ressuscite le diable.

Société de récupération

Ils sont bien malins ces Américains! Alors que leur société est de plus en plus contestée pour ses innombrables péchés contre la dignité de l'homme, contre la plus élémentaire justice, en passant du Watergate par le Vietnam jusqu'au président des États-Unis, sans oublier les multinationales d'exploitation, voilà qu'on ressuscite le diable pour distraire les gens de la véritable présence du mal dans le monde.

On dit que Dieu est partout; le Diable, lui, choisit ses endroits. La présence du mal est bien plus dans cette folie capitaliste de puissants de ce monde qui écrasent de leurs profits les travailleurs, les payeurs de taxes.

Pendant que les parents retournent voir leur curé parce que leurs adolescents se croient possédés du démon après avoir vu un film démoniaque ou lu un livre troublant, ils oublient d'analyser la présence politique du mal.

Cette présence du mal est dans l'oppression qui existe dans les pays d'Amérique du Sud dominés par les militaires. La présence du mal est dans cette exploitation effrénée des compagnies multinationales. La présence du mal est là où l'homme est écrasé par un autre homme, là où un homme tire son bien-être et son confort de l'appauvrissement d'un autre homme, moins fort que lui.

Pendant qu'on s'inquiète et qu'on s'agite pour des enfantillages, «des possessions du démon» montées de toutes pièces par des malins qui exploitent la naïveté et l'ignorance des masses populaires, grâce au cinéma ou à tout autre moyen semblable, le véritable mal continue d'agir en toute tranquillité dans le domaine politique, économique, commercial.

Quand c'est toute une société qui est possédée du mal de l'argent et du profit, de la domination sur les plus petits, on comprend mal qu'il faille s'émouvoir parce qu'un pauvre type se dit possédé du démon. C'est notre civilisation et ses valeurs matérialistes qu'il faudrait exorciser.

La faim du monde

Fidèles à une habitude qu'ils ont prise depuis quelques années, les Évêques du Canada ont publié en 1973 encore, à l'occasion de la fête du travail, un très grave message social.

C'est à la conscience sociale même de tous les chrétiens, ou ce qu'il en reste, que les évêques s'adressent, et cela en des termes clairs et précis qui ne laissent place à aucune équivoque.

L'Église a longtemps habitué les chrétiens à un langage spirituel pompeux et ampoulé, farci de citations bibliques, en de belles phrases qui finalement ne voulaient rien dire de concret.

Ce temps semble révolu où la foi chrétienne ne trouvait à s'exprimer que dans un culte aussi inoffensif que folklorique, où le message percutant de Jésus-Christ était baillonné dans nos églises, à l'abri des controverses publiques.

Empruntant le ton des prophètes, l'Église canadienne ne craint plus d'appeler les choses par leur nom, ne craint plus de poser un regard lucide sur la société dans laquelle nous vivons, pour en dénoncer les vices profonds, les mécanismes injustes, les habitudes pernicieuses.

De sérieures questions nous sont posées quant à nos habitudes alimentaires, nos habitudes de consommateurs asservis, notre inconscience devant le grave problème de la faim dans le monde.

La faim

Attirant notre attention sur la crise de l'alimentation que nous vivons présentement, le message des évêques nous invite cependant à poser un regard sur la situation qui prévaut dans le monde.

Depuis 1970, les réserves mondiales qui pouvaient répondre aux besoins de l'humanité pendant 69 jours ont rapidement diminué au point de ne plus suffire cette année que pour une période de 27 jours. Face à l'exploitation que les pays riches tels le Canada et les U.S.A. exercent à leurs égards, les pays pauvres d'Asie, d'Afrique et d'Amérique latine n'ont plus les moyens d'acheter les céréales nécessaires pour se nourrir. Plus de 400 millions d'hommes ne peuvent se nourrir à leur faim pendant qu'entre deux «rotes» de bière, les canadiens obèses entendent au Télé-journal que des tonnes d'œufs sont gaspillées pour maintenir le niveau des prix.

L'une des principales causes du problème mondial de l'alimentation est le fait social de la consommation effrénée que l'on trouve dans l'ensemble des pays industrialisés. En Amérique du Nord, une personne consomme 5 fois plus de céréales qu'une personne en Amérique latine, en Afrique ou en Asie. Cette nourriture est consommée sous forme de viande, d'œufs et de lait.

La minorité riche de l'humanité donne aux animaux

autant de grains de céréales que n'en consomme directement la majorité pauvre.

Le bœuf consomme jusqu'à 21 livres de grains à bon marché pour produire une livre de viande comestible payée à gros prix par le consommateur. « Le riche qui se nourrit de viande enlève le pain de la bouche du pauvre ». Les produits alimentaires fondamentaux qui pourraient enrayer la malnutrition et la faim sont donnés à des animaux afin que nous puissions satisfaire nos luxueuses habitudes gastronomiques.

Actuellement, on consomme au Canada 10 livres de plus de bœuf, 7 livres de plus de porc et 5 livres de plus de volailles qu'on en consommait il y a 5 ans. Pendant que des hommes crèvent de faim en Asie, les Canadiens nourrissent de viande fraîche et de bouchées délicates leurs chats et leurs chiens.

Les grandes corporations multinationales qui contrôlent l'économie du marché mondial y trouvent largement leurs profits. « Le marché actuel est prioritairement organisé pour permettre l'accumulation de profits, non pour nourrir les peuples », dixit les évêques. L'approvisionnement et la distribution de la nourriture sont déterminés d'abord par la rentabilité de la demande, non par les besoins humains. Rentabilité se traduit en terme clair par « capacité de payer » : paie ou crève.

Changement social

Le message invite les chrétiens à un changement social : sommes-nous près à mettre en question les objectifs d'un mystère économique qui nous pousse à consommer et à gaspiller d'une façon immodérée, plutôt qu'à partager les ressources alimentaires disponibles ?

Il y a d'autres fiertés

Il y a quelque temps, la Nouvelle, sous la plume de son directeur de l'information, nous présentait un éditorial sur la fierté des villes de Victoriaville et d'Arthabaska.

Cet éditorial sur la fierté des villes de Victoriaville et d'Arthabaska contenait des affirmations et véhiculait une échelle de valeurs qui appellaient une contrepartie. Citons quelques paragraphes :

« Partout les municipalités se battent pour obtenir la disparition des taudis ; chez-nous une quantité remarquable d'habitations luxueuses rehaussent l'aspect de nos villes ».

« Ce goût de la beauté reflète partout. Un vendeur d'automobiles nous confiait récemment : « Je n'ai jamais vendu autant de grosses voitures que cette année ».

« En consultant l'annuaire téléphonique, vous vous rendrez compte que nos deux-villes-sœurs regroupent plus de 30 salons de coiffure ».

« La popularité des vêtements dispendieux est remarquable. En effet, les merceries pour hommes et les boutiques pour femmes sont nombreuses comparativement aux autres villes ».

« Il faut se réjouir d'un tel état de chose. Partout les gens nous citent en exemple ».

Les valeurs

On peut s'interroger sur la valeur et la consistance d'une civilisation qui trouve sa fierté dans « les habitations luxueuses », « 30 salons de coiffure », « les vêtements dispendieux », « les grosses voitures ».

Se loger convenablement et avec goût, s'habiller proprement et élégamment, se véhiculer efficacement, c'est une chose et un besoin légitime ; avoir une maison luxueuse, porter des vêtements dispendieux, se montrer dans une grosse voiture, c'est une autre chose.

Est-ce dans de telles choses aussi superficielles qu'éphémères que des hommes et des femmes trouvent leur sens à la vie et y placent toute leur fierté ?

Le maquillage, art dans lequel notre société nord-américaine est passée maîtresse, peut charmer l'œil, camoufler des imperfections, mais sous le maquillage la réalité demeure entière.

Il y a des valeurs plus sûres que l'apparence extérieure, le luxe et le confort hors prix, et qui méritent davantage qu'on y trouve sa fierté : le partage avec les moins favorisés, la recherche de justice sociale, les valeurs spirituelles d'accueil, de don de soi aux autres, de simplicité et de modestie.

Le luxe et l'apparât, l'histoire des civilisations en témoigne éloquemment, n'ont jamais forgé de peuple solide, bien au contraire ce fut plutôt le signe de la décadence de civilisations qui n'avaient plus d'idéal social, désabusées, et ne trouvant d'autres plaisirs que de parader comme coqs en basse-cour.

Dans notre société rongée par une aussi grave inflation, des désordres sociaux permanents, des inégalités sociales grandissantes, une qualité de la vie qui se détériore, il n'y a pas de quoi être aussi fière d'un luxe et d'un apparât qui masquent cruellement chez-nous un des plus gros pourcentage d'endettement au Québec.

Victoriaville et Arthabaska ont pourtant raison d'être légitimement fières, ou d'être citées en exemple, mais pour d'autres motifs plus sérieux que «le luxe des maisons», «les vêtements dispendieux», «les grosses voitures».

Dans l'apparence sociale comme dans l'apparence physique, l'obésité n'est pour personne un sujet de fierté.

FOI CHRÉTIENNE
et conscience politique

Depuis quelques années on a vu apparaître dans l'Église du Québec deux mouvements bien particuliers, deux façons de vivre la foi chrétienne dans une dimension plus authentique : d'une part le «mouvement charimastique», d'autre part les politisés chrétiens.

Les charismatiques

Le mouvement charimastique est un courant qui semble rejoindre les chrétiens de toute catégorie et se veut surtout axé sur la prière et les valeurs spirituelles.

Ce mouvement prend chaque jour plus d'ampleur et rassemble, outre une certaine portion de curieux, des chrétiens désireux de vivre la fraternité dans la présence de l'Esprit du Christ. Cette présence de l'Esprit, dans leurs assemblées, se veut tangible et se manifeste dans l'expression de certains «dons» et l'attrait de certaines guérisons espérées.

Le mouvement charismatique se veut une expression de louange envers le Seigneur et un abandon entre les mains de Dieu. On y cultive l'enfance spirituelle.

Pour plusieurs, c'est la redécouverte d'un sens à leur vie, pour d'autres la conversion à une vie meilleure, la fin d'une période d'insignifiance et d'évasion dans les plaisirs d'une société artificielle.

Chrétiens politisés

À côté de ce mouvement inoffensif et assez touchant, il existe des chrétiens politisés, engagés profondément dans les processus de changement social de leur société.

Ce sont des chrétiens, prêtres, religieux ou laïcs, pour qui la réponse à l'appel de l'Évangile consiste à s'engager concrètement dans leur milieu, quoiqu'il leur en coûte, pour établir une plus grande justice sociale.

Ce sont des chrétiens qui analysent la société dans ses mécanismes politiques et économiques qui méprisent la dignité humaine et oppressent l'homme.

Pour ces chrétiens, l'amour du prochain ne doit pas être un vain mot et comme jadis leur Maître, ils ne craignent pas de prendre publiquement position et de dénoncer les situations où l'homme écrase son semblable.

Pour eux, la fraternité prêchée par l'Église n'est qu'un vœu pieux et même une sorte d'hypocrisie si elle ne trouve à s'exercer dans la plus élémentaire justice, non pas seulement le dimanche à l'occasion de la prière, mais chaque jour de la semaine, à l'usine, sur la rue, sur la place publique.

C'est au nom de la dignité de l'homme que les politisés chrétiens ne se contentent pas d'un Dieu à qui on demande de régler à notre place tous les problèmes que nos égoïsmes ont engendrés. Ils veulent s'engager ici et maintenant dans la construction d'une cité nouvelle où la justice sociale ne soit plus un slogan, mais une réalité.

Pour les politisés chrétiens, la foi n'est pas qu'une affaire privée, elle a une dimension collective. Croire c'est agir en conformité avec ses convictions. Pour cela, il faut agir là où se décident les règles d'une société régie par les puissants et où le petit passe en dernier, quand il en reste.

Être engagé politiquement, pour un chrétien, ce n'est pas tant faire de la politique partisane comme surtout prendre intérêt aux choses de la cité, prendre position là où certains mécanismes économiques, mercantiles et politiques pratiquent d'une main la répression des plus petits pendant que de l'autre main ils proclament la démocratie.

Dans certains milieux, on comprend difficilement que des chrétiens, au nom même de leur foi en Jésus-Christ, s'engagent, prennent position, mettent à jour les aspects peu reluisants d'une société fort prétentieuse et très peu évangélique. Pour eux, la foi c'est le dimanche, les affaires c'est la semaine; pas. de contradiction !

Parfois certains ont même peur de cette façon engagée de vivre la foi chrétienne : cela dérange, bouleverse certaines tranquilités, provoque les consciences endormies. Certains s'ouvrent le cœur et embarquent ; d'autres se ferment, s'endurcissent et parfois cherchent à les éliminer.

Pour les systèmes qui vivent aux crochets de l'injustice, les chrétiens engagés et conscients sont un reproche vivant. C'est pourquoi on les dit dangereux et on cherche à les éliminer comme jadis Jésus-Christ.

Paix et justice

Les mouvements de prière sont rassurants. Ils prônent l'obéissance à Dieu mais généralement vécue hélas comme une servilité à un système socio-économique qui méprise l'homme. Ils prônent la paix, mais souvent comprise comme une absolution collective qui refuse de voir les maux de la terre.

Ces deux mouvements, le charismatique et le politisé,

puisent à la même foi pour la réalisation d'un homme nouveau.

Sans la prière et les valeurs spirituelles, les chrétiens politisés et engagés risquent fort, dans la passion et la douleur de leurs luttes pour la justice, de prolonger les lois de la jungle.

Sans l'engagement concret dans les choses publiques et tout ce qui concerne la vie de l'homme en société, les chrétiens charismatiques des mouvements de prières réduisent leur foi à une éloge funèbre d'un Dieu qui ne s'émeut plus des drames des hommes et dont la croix n'est plus intolérable.

C'est le lundi matin, dans la rue, à l'usine, au bureau, que l'on peut reconnaître le chrétien. Mais hélas, quand les accords de guitare se sont tus, que les chants du dimanche se sont apaisés et qu'on a dit amen! Combien de chrétiens se dispersent et on ne les revoit plus aux croisés de chemin.

C'est le lundi matin qu'on reconnaît le chrétien.

Table des matières